Merci
CYMRU

Merci CYMRU

Dathlu haf bythgofiadwy 2016

Tim Hartley (gol.)

y Lolfa

Argraffiad cyntaf: 2016

Dymuna'r cyhoeddwyr gydnabod cymorth ariannol
Cyngor Llyfrau Cymru

Llun y clawr: Getty Images
Cynllun y clawr: Y Lolfa

Rhif Llyfr Rhyngwladol: 978 1 78461 351 8

Cyhoeddwyd, rhwymwyd ac argraffwyd yng Nghymru gan
Y Lolfa Cyf., Talybont, Ceredigion SY24 5HE
gwefan www.ylolfa.com
e-bost ylolfa@ylolfa.com
ffôn 01970 832 304
ffacs 832 782

'Peidiwch â bod ofn breuddwydio.'

Chris Coleman

Cynnwys

Rhagair

CERDDED AR HYD maes Steddfod y Fenni o'n i pan welais i wyneb cyfarwydd o bell. John y bwtsier o Fachynlleth oedd e, bachan o'n i ond wedi cwrdd ag e am y tro cyntaf ar stryd brysur yn ninas Lyon yn Ffrainc cwta fis yn gynt. Bryd hynny fe siaradon ni am obeithion Cymru, am ei gynefin ym Maldwyn a'r noson ofnadwy yna dreuliais i yn yr unig westy yng Nghorris. Ond roedd John yn brysur yn steddfota y tro hwn, yn sgwrsio y tu fas i babell crysau T Shwl Di Mwl. Er hynny ddalion ni lygaid ein gilydd ac heb yngan gair fe wincion ni. Achos roedd rhywbeth rhyngddon ni. Roedd ganddon ni rywbeth yn gyffredin. Roedden ni *wedi bod yna*, yn rhan o'r daith. Wedi bod yn dystion i rywbeth sbesial. Ac o'r herwydd, fe fydden ni'n ffrindiau oes, heb orfod yngan yr un gair hyd yn oed. Cerddais ymlaen â rhyw gynhesrwydd yn fy nghalon.

Soniais am y peth wrth fwy nag un person yr wythnos honno. Roedd nifer wedi profi rhywbeth tebyg. Cod preifat oedd gyda ni. Winc neu bwt o gyfarchiad i atgoffa'n gilydd o'r hyn y buon ni'n rhan ohono yn ystod haf 2016. A doedd dim rhaid i chi fod wedi 'bod yna' chwaith. Cynhyrfwyd dynion, gwragedd a phlant ar draws Cymru gan ymdrechion Allen, Williams, Ramsey a'r lleill. Mae lluniau'r dathlu yn y *fanzone* yng Nghaerdydd, mewn clybiau, tafarndai ac ar aelwydydd, yn dyst i allu pêl-droed i dynnu pobol ynghyd. "Profiad ysbrydol i ni gyd, on'd oedd e? Ry'n ni mor ffodus cael bod yn rhan o hwn," meddai fy hen ffrind Hannah T wrtha i. Roedd hi wedi gwylio pob gêm gyda'i merched bach, Manon a Gwenno. A dyw hi ddim hyd yn oed yn leicio pêl-droed.

Yn y dechreuad yr oedd Bordeaux. Wel, 'na fel mae'n digwydd, ac fel mae'r prifardd Rhys Iorwerth yn nodi yn ei gerdd *cyrhaeddon* ni Ffrainc yn Zenica, Boznia-Herzegovina naw mis cyn Bordeaux. Er i ni golli y noson honno roedd Cymru yn rowndiau terfynol Pencampwriaeth Pêl-droed Ewrop. Ro'n ni ar ein ffordd i Ffrainc! Byddai rhai wrth gwrs – ac rwy'n un ohonynt – yn dadlau bod y siwrne wedi cychwyn hyd yn oed cyn hynny; mewn gwledydd anghysbell fel Belarus ac Azerbaijan, ar noson ddiflas ar ôl colli eto ar Barc yr Arfau, mewn anobaith yn yr Eidal neu ar wyliau teuluol drud a thrafferthus yn Armenia a Latvia a... Duw a ŵyr yn lle. Ai obsesiwn fu dilyn Cymru dros y degawdau i'r ffyddloniaid ffôl? Yn y gweithle ac yn y dafarn ro'n ni'n destun sbort ac weithiau, ie, yn destun trueni. Ond nawr, wrth edrych yn ôl ar berfformiad y chwaraewyr a'n cyfraniad digamsyniol ni, y cefnogwyr, yn Ffrainc, mae pawb yn deall pam.

Dyddiaduron personol o'r mis arbennig yna sydd gan nifer o gyfranwyr y llyfr hwn; straeon llafar sy'n byrlymu â brwdfrydedd y cefnogwr go iawn. Yn ôl Geraint Løvgreen, rhyw fath o 'fasocistiaeth' fu dilyn Cymru cyn hyn. Ond, fel Richard Jones o Aberteifi mae'n ysgrifennu am flasu, o'r diwedd, ffrwyth eu hymroddiad a'r buddsoddiad emosiynol ar hyd y daith. Ym mhencadlys y tîm yn nhref Dinard y treuliodd y gohebydd Dylan Ebenezer y bencampwriaeth. Mae'n sôn am ysbryd arbennig y chwaraewyr a'r tîm hyfforddi, y croeso gafodd pawb yn Llydaw, yn ogystal â phwysigrwydd unig dŷ golchi'r dref lan môr.

Bron i Ffion Owen fethu'r bencampwriaeth yn gyfan gwbl ond fe gafodd hi hyd i 'gerbyd cym llety' a threulio mis cyfan yn mynd ar hyd Ffrainc yn ei champyr-fan gorlawn. Roedd Rhys Hartley yn teimlo ei fod 'ar ryw gyffur' wrth adael y grownd yn Bordeaux tra bod profiadau Iola Wyn yn golygu ei bod bellach yn deall, ac yn awr yn rhannu obsesiwn ei gŵr wrth wylio'r tîm cenedlaethol. Mae cerddi Phil Davies a'r prifeirdd Aled Gwyn a Rhys Iorwerth yn ganeuon mawl i dîm o chwaraewyr ond hefyd yn ceisio deall emosiynau'r cefnogwyr lu a gafodd y fraint o fod yn rhan o'r 'Wal Goch'.

Sôn am y gorffennol mae Gwyn Jenkins gan gymharu timoedd Cymru ddoe a heddi. Mae e'n gweld dosbarth 2016 yn debyg iawn i griw 1958 gyda phrif sêr y ddau dîm, Bale a Charles, yn chwarae i glybiau ar y cyfandir. Ond yn bwysicach na'r unigolion roedden nhw'n rhan o dîm oedd yn wir gredu ynddon nhw eu hunain. Edrych i'r dyfodol mae Laura McAllister gan ofyn beth fydd gwaddol go iawn yr Ewros? Oes modd i'r genedl fach yma ffrwyno llwyddiant ar gae chwarae er mwyn codi ein hunanhyder mewn meysydd eraill, fel gwleidyddiaeth, masnach a bywyd cyhoeddus?

Cofnod yw'r llyfr hwn wrth gwrs. Cofnod o ddigwyddiad na fu rhai ohonom yn ddigon ewn i freuddwydio y gallen ni ei brofi yn ystod ein hoes. Mae yma ddathlu a chyfeillach, atgofion a darogan. Ond, yn sail i hyn oll y mae'r ffaith hyn: *Bu tîm pêl-droed Cymru mewn ffeinals pencampwriaeth ryngwladol.* Rwy'n gobeithio bod y llyfr hwn yn distyllu rhywfaint o'r hyn a wnaeth fisoedd Mehefin a Gorffennaf 2016 mor arbennig i ni gyd. Mae'n bosib na allai'r un ohonom fod wedi darogan mor fawr fyddai'r gamp, na pha mor bellgyrhaeddol fyddai effaith y buddugoliaethau. Mae'n diolch i ymdrech carfan o bêl-droedwyr sy'n perthyn i genedl fach – ac yng ngolwg llawer o bobol cyn y gamp hon – cenedl ddi-nod. ''Mond gêm yw hi wedi'r cyfan,' medden nhw. Y... na.

Maen nhw hefyd yn dweud mai'r siwrne ei hun ac nid y cyrraedd sy'n bwysig yn y bywyd yma. Nid y tro yma, gyfeillion.

Tim Hartley
Caerdydd,
Tachwedd 2016

Zenica,
10 Hydref 2015

Wedi i ni golli gyhyd,
wedi poen, wedi penyd
dilyn yn groch y cochion
hyd y byd, heb yn y bôn
brofi dim, dim ond y daith
i dir neb drwy anobaith;
wedi ein siomi bob siâp
a rhannu'n siâr o anhap;
wedi'n dal mewn torcalon
wrth y lan, yn nharth y lôn,
yn gorau chwarae o chwith,
yn dod adre mewn dadrith;
wedi i Jordan ein gwanu,
wedi i wae'r wythdegau du
a chic din Bodin i'r bar
droi Gwalia yn dir galar;
wedi sioe Bobby, y boi
o'r cynfyd, wedi'r confoi
blynyddol, angladdol hir
dan weld dim ond anialdir;
wedi Rwsia yn drasig,

wedi teithiau'r dyddiau dig,
daeth y wawr, do a thorri
ym Mosnia'n wynfa i ni.
I'n haf, yn hen ac ifainc,
ffwr' yr awn. Stop nesa': Ffrainc.

Rhys Iorwerth

Allez les Cymry!

GERAINT LØVGREEN

ROEDD RHYW GYMAINT o fasocistiaeth wastad yn angenrheidiol i unrhyw un oedd am ddilyn tîm pêldroed Cymru – nid bod yr holl beth yn boen; does dim pwynt trio honni nad oedden ni'n cael uffern o hwyl ar y tripiau 'ma. Ond ar ôl yr holl drafaelio roedd y canlyniad yn amlach na pheidio yn reit siomedig, ac roedd gwirionedd mawr yn y geiriau y byddwn i a 'mrawd yn eu canu ymhob man, gan aralleirio fersiwn Chubby Brown o gân Smokie am Alice (neu gân Huw Gwyn am fyw drws nesaf i Dilys):

We're just a little country, we're very, very small,
We go to all the matches but we never win f**k all,
And for fifteen hundred years we've been living next
    door to England...
(England? Who the f**k are England?)
We had a go in Sweden in nineteen fifty eight
But then they won in '66 and now they think they're
    great,

And for fifteen hundred years we've been living next
door to England...
(England? Who the f**k are England?)...

Wrth gwrs cafwyd ambell fuddugoliaeth ar ein
teithiau a oedd yn felysach fyth oherwydd y
siomedigaethau rheolaidd, ond doedden ni byth
yn mynd i unrhyw gêm gan ddisgwyl canlyniad da.
Y gobaith oedd yn ein cynnal, a'r hwyl o gyfarfod
hen ffrindiau a gwneud ffrindiau newydd mewn
gwledydd a sefyllfaoedd *random* annisgwyl.

Dyna oedd yn gwneud Ffrainc mor wahanol, y
teimlad ein bod ni wedi ennill yn barod, dim ond
trwy fod yno. Cyrraedd Bordeaux i weld croeso
Cymraeg yn ffenest tafarn y Sweeney Todd, dau lawr
o dan ein fflat, a chrwydro i'r dref ddiarth i ganfod
sgwariau'n llawn Cymry Cymraeg. Roedd fel petai
gogledd Cymru i gyd yno ar y penwythnos cyntaf
hwnnw. Roedd fy mab yno (nid yr un sy'n ffan pêl-
droed, ond y llall). Roedd mab-yng-nghyfraith fy
mrawd, Sgowsar sydd wedi dewis bod yn Gymro
mabwysiedig, yno ("Are you Welsh?" gofynnodd un
Cymro amheus iddo. "Ti'n siarad Cymraeg?" oedd ei
ymateb). Roedd plant mewn crysau Cymru'n cicio
pêl ar y sgwâr efo dynion mewn crysau Slofacia.
"Mae hi fel Steddfod yma," meddai Gwil John wrth
holwr Sky Sports News. Byddem i gyd yn dod yn
hen lawiau ar wneud cyfweliadau i'r cyfryngau cyn
diwedd y mis.

17

Gwefr yn stadiwm Bordeaux. 'Den ni yma. Dim ots tasen ni'n colli pob gêm. Dyma ni ar y llwyfan rhyngwladol. Ar setiau teledu drwy Ewrop a thros y byd, mae pawb yn gweld ein crys coch mawr ar y cae, ac yn clywed 'Hen Wlad fy Nhadau'. Ond wrth gwrs, mi fase ennill yn well, a diolch i arwriaeth Ben Davies, gôl gynnar Gareth Bale a gôl hwyr Hal Robson-Kanu, dyna ddigwyddodd. A ninnau'r cefnogwyr yn fôr coch o gân drwy gydol y gêm. Gorfod cerdded pedair milltir hirfaith ddiflas wedyn o'r stadiwm yn ôl i'r dref, ar ôl codi llaw ar Dafydd Wigley a oedd wedi ei wasgu fel sardîn i un o'r tramiau prin oedd yn ymlusgo heibio, ond wnaeth hynny ddim tynnu'r wên oddi ar fy ngwyneb. Cyrraedd bar yn y dref mewn pryd i weld Rwsia'n cael gôl hwyr yn erbyn Lloegr oedd yr eisin ar y gacen.

Ychydig bach yn betrus am gêm Lloegr oedd pawb, a llawer wedi dewis mynd i Baris, cael llety yn y ddinas a theithio i fyny ac i lawr ar y bysus oedd wedi'u trefnu inni. Ond doedd dim trwbwl, dim ond digon o ganu a herio lled gyfeillgar dan lygaid plismyn gwyliadwrus tu allan i ddwy dafarn yn nhref fach Lens. Yn y stadiwm roedd yr egwyl hanner amser dan y stand yn anhygoel, yn un parti mawr ar ôl i gôl Gareth Bale ein rhoi ar y blaen yn hollol annisgwyl. Siom oedd yr ail hanner wrth gwrs, ond i fi roedd y rheswm am y perfformiad llipa yn amlwg. Coch ydi lliw Cymru, siŵr iawn. A gwyn ydi lliw Lloegr. Felly be ddiawl oedd pwynt chwarae mewn crysau llwyd?

Ta waeth, y noson honno yn ôl ym Mharis, wrth inni gael pryd o fwyd mewn tŷ bwyta wrth y Gare du Nord, digwyddodd yr unig gwffas a welais i yn y mis cyfan, a hwnnw yn y stryd y tu allan. Roedd cadeiriau'n hedfan a'r gweinwyr yn rhuthro allan i achub eu dodrefn, cyn i'r heddlu reiat gyrraedd i dawelu'r sefyllfa. Golygfa ddoniol wedyn pan ddaeth gwraig allan o doilet y bwyty, yn ddiarwybod, a chael braw wrth ddod wyneb yn wyneb â thri heddwas mawr mewn iwnifform reiat oedd yn ciwio am bisiad. Holi'r gweinydd wrth y drws, be oedd yr helynt tu allan? Saeson yn rhedeg ar ôl Almaenwyr, meddai. Sut fasen nhw yn Lens tasen ni wedi'u curo nhw, tybed?

Yr argraff gyntaf wrth gyrraedd Toulouse oedd y gallem fod mewn gwlad arall – roedd 'na ryw awyrgylch Sgandinafaidd i'r dref, diolch i'r trên tanddaearol bach newydd a glân, a phresenoldeb cannoedd o Swediaid mewn crysau melyn, yno i weld eu gwlad yn colli yn erbyn yr Eidal y noson honno. Ond fesul dipyn ciliodd y glaw a'r Swediaid a chyrhaeddodd mwy a mwy o grysau coch i lenwi pob twll a chornel a bar a chaffi. Ac roedd pawb wedi cyrraedd erbyn i'r Super Furries ddod i'r llwyfan mawr ar lan yr afon ac ysgogi môr o Gymry gwallgo i ddawnsio a chanu'n wyllt o'u blaenau, a 'Bing Bong' yn datblygu i gynnwys siant Hal Robson-Kanu gan gôr mil o leisiau fel tase'r peth wedi cael ei ymarfer yn drwyadl. Gyda'n gilydd, yn gryfach.

Diwrnod o haf hirfelyn tesog oedd diwrnod y gêm, hetiau bwced ac eli haul yn hanfodol, a baneri Cymru'n llenwi'r sgwariau twristaidd cyn symud ymlaen am y stadiwm, (fy hoff faner – 'Joe Allen yw fy mugail, dilynaf ef bob dydd' gan hogie Llithfaen), ac roedd perfformiad y tîm yr un mor ddisglair â'r haul uwchben. Rwsia oedd yn chwarae'n wael, meddai rhai, ond anghofiwch am hynny, dyma berfformiad gorau Cymru erioed ar gae pêl-droed. Aaron Ramsey ar ei orau yn ein rhoi ar y blaen. Gareth Bale yn sgorio'i drydedd gôl mewn tair gêm i selio'r fuddugoliaeth. A rhwng y ddau, gôl gan Neil Taylor (Neil Taylor! Y bachgen ddechreuodd ei yrfa yn Wrecsam!) i goroni'r cyfan. Trwodd i'r 16 olaf felly, a hynny fel enillwyr y grŵp.

Roedd dau ddiwrnod yn Carcassonne yn egwyl braf iawn o'r rhuthr hectig cyn dychwelyd i Baris ar gyfer gêm Gogledd Iwerddon. Sgwrsio efo Gwyddel am ran helaeth o'r prynhawn tu allan i far heb fod yn rhy bell o'r stadiwm, cyn ffeindio'n hunain nesaf ato eto yn y ciw am yr Eurostar adref y diwrnod wedyn. Gêm nodweddiadol o'r gemau rhwng y ddwy wlad oedd hon, yn llawn tensiwn ac yn brin o le. Roedden ni'n haeddu ennill, oedden, ond cael a chael oedd hi. Ac roedd yn hwyl bod yn un o griw cerddorol ar y Metro yn hwyrach yr un noson yn canu *Calon Lân* mewn pedwar llais i gymeradwyaeth teithwyr hwyr y brifddinas.

Y stop nesaf. Dinas sydd bron yng Ngwlad Belg. Sgwariau mawr braf, pob un wedi'i lenwi gan gannoedd o Felgiaid. Miloedd ar filoedd o Felgiaid. 'Den ni mewn lleiafrif o ddifri yn fama. 'Den ni'n chware efo'r bechgyn mawr rŵan. Dyna sut deimlad oedd cyrraedd Lille, a'r wynebau cyfarwydd yn brinnach nag ar unrhyw adeg cyn hynny. Ond fe gawson hyd i'n gilydd, ac atgoffa'n gilydd nad oedd Gwlad Belg wedi llwyddo i'n curo ni mewn dau gynnig yn y rowndiau rhagbrofol. A 'den nhw'n dal ddim wedi'n curo ni. Am gêm. Er bod rhyw ddihiryn wedi dwyn fy waled o 'mhoced cyn y gêm a 'ngadael i heb bres na chardiau banc na dim, ac er imi orfod crwydro am awr wedyn i chwilio am swyddfa heddlu, ac yn waeth, er fy mod i wedi cyfnewid fy het bwced 'Spirit of '58' am het Felgaidd wirion na cheith ei gwisgo byth eto, roedd y ddwy awr yn y canol yn gwbwl, gwbwl fythgofiadwy. Ashley Williams! Robson-Kanu! Sam Vokes! Perffeithrwydd.

Dwi ddim yn siŵr ai cyrraedd Lyon yn gynt

na phawb arall wnaethon ni neu be, ond roedd y ddinas fawr braf rhwng afonydd Saône a Rhône i'w gweld yn reit wag pan gyrhaeddon ni. Roedd yn anodd osgoi criwiau teledu oedd yn awyddus am sgwrs ar gamera, ac mae'n debyg fod gwylwyr Al Jazeera wedi gweld un o berfformiadau prin Eleri fy ngwraig ar deledu ar ôl iddi benderfynu ymuno yn ein sgwrs yn hytrach na sefyll nesaf ataf i fel lemon. Ond daeth mwy a mwy o Gymry i feddiannu'r dref cyn hir, a llenwi'r sgwâr bach tu allan i far y Brenin Arthur (y cafodd ei arwydd camarweiniol 'A Real Taste of England' ei gywiro yn fuan iawn).

Braf oedd y teimlad o fod 'Efo'n gilydd, yn gryfach'. Roeddwn i eisoes wedi deud s'mai wrth Craig Bellamy yn Bordeaux, wrth Ian Rush yn Toulouse, ac yn hwyr ar y sgwâr yn Lyon roedd yn bleser cael gair efo tri gŵr bonheddig arbennig iawn, sef Roger Speed a'i wyrion. Ac mi dreuliodd Leri a fi bnawn yn gwneud y stwff twristaidd (bws to agored, crwydro'r eglwys hynafol) yng nghwmni dyn o Ganada ddaru droi allan i fod yn dad-yng-nghyfraith i Dewi Prysor. Random.

Portiwgal oedd y gwrthwynebwyr, a phawb yn cytuno nad oedden nhw'n dîm da o gwbwl. Fedren ni ddim cyrraedd y ffeinal, na fedren? Na fedren, fel y digwyddodd hi, ac roeddwn i'n ofni'r gwaethaf ar ôl gweld mai yn y cit llwyd roedd y tîm am chwarae.

Y 'cit llwyd anlwcus' fel dwi'n ei alw erbyn hyn. Neu 'y blydi cit llwyd'. Doedd dim cywilydd mewn colli yn y rownd gyn-derfynol i Ronaldo a'i griw, ond roedd o'n dal yn siom enfawr am ryw funud neu ddau. Mor, mor agos.

Erbyn hyn mae'r hen gân o'n i'n arfer ei chanu am fyw drws nesaf i Loegr yn ffeithiol anghywir (er bod llinellau 1 a 3 mor wir ag erioed). Byth yn ennill dim byd? Mi yden ni *wedi* ennill rhywbeth – y trydydd safle yn Ewrop. Dwi ddim yn meddwl rywsut y byddwn ni ei chanu efo'r un arddeliad o hyn ymlaen. Felly mi sgwennais eiriau newydd i gân ar gyfer band yr Enw Da, cân sydd yn fy nghasgliad senglau ers pan o'n i'n ddeuddeg oed, clasur y grŵp o Gaerdydd, Amen Corner, 'Bend Me, Shape Me':

'Nhraed i'n dal heb gyrraedd y llawr, a babi dwi'n
   fflio,
Wedi neidio fyny a lawr, a chwerthin a chrio.
Diolch i Coleman am yr ha', am y dyddiau da...
Gunter, Ramsey, Robson-Kanu, Hennessey,
Taylor, Joe Ledley, Allen a Bale,
Williams, Chester, Davies, Joniesta,
Allez les Cymry, Come on Wales!

Haleliwia Robson-Kanu, a'i gôl oedd yn briliant,
Miloedd yn eu nefoedd, ma nhw... ar y lori
   lwyddiant.

Y wal goch sydd ar dân, yn canu 'Calon Lân'...
Gunter, Ramsey, Robson-Kanu, Hennessey,
Taylor, Joe Ledley, Allen a Bale,
Williams, Chester, Davies, Joniesta,
Allez les Cymry, Come on Wales!

O Bydded i'r Gobaith Barhau!

IOLA WYN

TACHWEDD YR 17EG, 1993 y gwyliais fy ngwlad yn chwarae pêl-droed am y tro cyntaf erioed. Ac mae'n bur debyg na fyddwn i wedi mynd i'w cefnogi bryd hynny oni bai bod fy nghariad newydd wedi cynnig tocyn i fi, a finnau'n ceisio creu argraff, am wn i. Wrth gwrs, hon oedd y gêm derfynol dyngedfennol yn rowndiau rhagbrofol Cwpan y Byd 1994. Roedd Cymru angen curo Romania er mwyn cyrraedd rownd derfynol prif bencampwriaeth bêl-droed am y tro cyntaf ers 1958. Waeth i mi gyfaddef, doeddwn i ddim yn deall yr arwyddocâd ar unrhyw lefel y noson honno, ond wrth gwrs fe deimlais y siom pan fethodd Paul Bodin y gic o'r smotyn a chwalu gobeithion Cymru.

Mae'r bore trannoeth yn dal yn fyw yn y cof, oherwydd bu'n rhaid i mi ddelio â dyn yn ei ugeiniau yn llefain. A dwi'n cofio meddwl 'mod i wedi cwrdd â dyn sensitif iawn, a oedd yn amlwg yn teimlo i'r

25

byw pan fo'i dîm yn colli gêm bêl-droed. Fe ges i araith am arwyddocâd ennill gêm bêl-droed i Gymru fel gwlad, i'n hunaniaeth a'n delwedd, rhywbeth na fedrai rygbi fyth ei gyflawni gan nad yw hi'n gêm sy'n cael ei chwarae ledled y byd.

Fe ddechreuais i fynd i fwy a mwy o gemau pêl-droed adre, a dod i arfer â'r torcalon o golli gemau. Mi ges i un gêm oddi cartre hefyd. Roedd gêm olaf Bobby Gould wrth y llyw yn erbyn yr Eidal yn Bologna ym Mehefin 1999 yn glasur, am y rhesymau anghywir. Wnaeth cefnogwyr Cymru, (rhai mewn dillad menywod am ryw reswm), ddim stopio canu hyd nes y diwedd. 4–0 oedd y sgôr terfynol, a gallai hi fod wedi bod llawer gwaeth. Byddai cefnogwyr ambell wlad arall wedi gwawdio'u chwaraewyr, ond nid cefnogwyr Cymru.

Flwyddyn yn ddiweddarach, roeddwn i wedi priodi'r cefnogwr brwd. A do, fe gafodd Iwan deithio i 99% o gemau oddi cartre Cymru, ag eithrio adeg geni'r plant. Teg dweud ei fod ef a'i ffrindiau o bob cwr o Gymru wedi mwynhau hyd yr eithaf, ac wedi bod yn hynod ffyddlon ar hyd y degawdau.

Ry'n ni'r gwragedd hefyd wedi bod yn ffyddlon yn ystod y gemau cartre. Ac ry'n ni wedi clywed sawl gwraig arall yn rhyfeddu at ein goddefgarwch ac yn dadlau na fydden nhw fyth yn caniatáu i'w gwŷr fod bant mor aml! Fel criw o ffrindiau, mae ein plant wedi tyfu ac aeddfedu gyda'i gilydd ar feysydd pêl-droed. Ry'n ni'n griw sydd wastad wedi canu, gweiddi a chwerthin yn iach... gyda'n gilydd.

Roedd amod wrth gwrs i holl dripiau'r dynion oddi cartre, sef ein bod ni, y gwragedd, yn cael trip go iawn pe bai Cymru, rhyw ddydd – ie, rhyw ddydd – yn cyrraedd rowndiau terfynol pencampwriaeth bêl-droed.

Rhyfedd meddwl bod Gareth Bale yn bedair oed 'nôl yn 1993, adeg gêm Romania. Bu'n rhaid aros am y mab darogan am dair blynedd ar hugain. Ac yn ystod y cyfnod maith hwnnw, datblygodd perthynas glos rhyngom fel criw o ffrindiau, gyda'n gilydd, yn yr un bloc o seddi yn y stadiwm bob tro. Mewn ambell gêm ddiflas, roedd yn gyfle i roi'r byd yn ei le. Ond yn y ddegawd ddiwethaf yma, byd y Bale hawliodd ein sylw ni, a'r teimlad yna ym mêr ein hesgyrn bod 1958 ar fin colli ei lle yn y llyfrau hanes.

Trueni bod y foment fawr wedi digwydd oddi cartre yn Boznia-Herzegovina yn ystod ymgyrch gyffrous 2015, yn enwedig gan ystyried bod Cymru wedi colli yno. Roedd y gwŷr gyda'i gilydd yn Zenica, ninnau'r gwragedd ar wasgar ym mhob cwr o Gymru, a finnau a'r bechgyn yn Nhafarn Beca, Trelech. Ond daeth y parti mawr i Stadiwm Dinas Caerdydd rai dyddiau'n ddiweddarach, pan gurodd

Cymru Andorra, a dechreuodd y cynllunio mawr ar gyfer Ffrainc 2016, ein taith oddi cartre gyntaf gyda'n gilydd, yn griw estynedig o ffrindiau.

Dwi'n fwy na pharod i rannu profiadau a datgan barn ar gyfryngau cymdeithasol ac yn hoff iawn o gyhoeddi ambell lun. Ond methais ysgrifennu unrhyw beth o werth am fy mhrofiad o fod yn Ffrainc ar y pryd, oherwydd yr ofn na fedrwn i gyfleu'r gwir deimlad o fod yno, ac am na allai geiriau wneud cyfiawnder â'r wefr a brofwyd yn ystod y mis. Ond fe geisia i fy ngorau glas i wneud hynny nawr.

Bordeaux oedd lleoliad y gêm gyntaf rhwng Cymru a Slofacia. Ac felly Bordeaux fyddai ein cartre sefydlog am bythefnos, neu'n cartre ysbrydol gan ein bod ni'n aros mewn abaty! Roedd y cynnwrf a'r llawenydd ein bod ni o'r diwedd yn mynd i wylio ein gwlad mewn prif bencampwriaeth bêl-droed yn gwbwl drydanol. Doedd neb yn cerdded ar hyd y coridorau. Roedd pawb yn bownsio o un lle i'r llall, pawb yn siarad fel pwll y môr, a chysgu yn amhosib. Roedd yr adrenalin yn drech na'r blinder.

Ar fore'r gêm fawr, a ninnau'n griw o bron i ddeg ar hugain, archebwyd bws preifat sgleiniog du i'n cludo i ganol Bordeaux, a oedd yn brofiad ynddo'i hun, ac wrth deithio i mewn ar hyd strydoedd y ddinas fe sylweddolais fod rhywbeth mawr ar droed.

Roedd hanner Cymru wedi teithio i Bordeaux ac roeddem ni i gyd yn yr un stad o iwfforia. A hynny er nad oeddem wedi chwarae yr un gêm eto, heb sôn am ennill.

Do, fe gafodd y mab lun gydag Ian Rush yng nghanol y ddinas, a hynny rai wythnosau wedi iddo ennill llyfr lloffion Rush mewn raffl yn gig Rhedeg i Baris Cymdeithas yr Iaith yn Eisteddfod Yr Urdd yn y Fflint. A 'chydig a wyddwn i bryd hynny y byddem yn eistedd drws nesaf i Rush ei hun ar awyren a fyddai'n ein cludo i rownd gyn-derfynol Ewro 2016 yn Lyon. A dwi'n siŵr 'mod i wedi adrodd y stori honno gannoedd o weithiau yn barod. Tynnwyd lluniau di-ri yn Bordeaux: yn ffrindiau, yn deuluoedd, yn blant gyda'u rhieni, yn blant gyda rhieni plant eraill, yn gymysg oll i gyd. Roeddem ni yna... gyda'n gilydd.

Roedd cymaint o Gymraeg i'w glywed ym mhob twll a chornel o strydoedd Bordeaux, ac wrth deithio i'r stadiwm ar gyrion y ddinas fe ddaeth hi'n fwy amlwg bod mwy o Gymry Cymraeg yno nag ar faes yr Eisteddfod ar ddiwrnod y cadeirio, pan mae hi yn yr ardal Gymreiciaf posib. Dwi'n cofio dweud wrth ddyn y tu ôl i mi yn y ciw i'r tai bach, "Damo, ma Wayne Hennessey wedi ei anafu. Pwy fydd yn y gôl?" cyn i bawb yn y rhes droi ata i a dechrau trafod goblygiadau hynny.

Mi fentra i ddweud bod llawer mwy nag 19% o boblogaeth stadiwm Bordeaux ar nos Sadwrn yr 11eg o Fehefin yn siarad Cymraeg. Ac roedd hynny ynddo ei hun yn ychwanegu at fawredd yr achlysur yn y modd mwyaf dirdynnol. Go brin y clywa i'r anthem yn cael ei chanu gyda'r fath angerdd fyth eto. A phan edrychais draw ar gyn-fownser un o dafarndai Caerdydd yn beichio crio, syllu ar wynebau cyfarwydd eraill yn cydio yn ei gilydd, yn anadlu'n ddwfn, roedd yr araith glywais i 'nôl yn 1993, wedi'r golled yn erbyn Romania, yn atseinio yn fy mhen. Pe bai Cymru yn llwyddo yn y byd pêl-droed fe fyddai gweddill y byd yn gwybod amdanom.

Ac wedi ail gôl Cymru i selio'r fuddugoliaeth yn erbyn Slofacia, llifodd dagrau o lawenydd ac anghredinedd am y tro cyntaf. Aeth dim byd o'i le y diwrnod hwnnw. Diwrnod perffaith. Gallai fod wedi gorffen yn ddiflas yn sgil streic gweithwyr y tramiau, a ninnau'n methu cael tacsi i'n cludo adre i'r abaty. Roeddem ni'n wynebu dwy awr a hanner o daith gerdded, gyda'r plant. Ond trwy ryw ryfedd wyrth, fe gawsom achubiaeth. A dwi'n gwybod fod straeon tebyg am Samariaid Trugarog wedi eu hadrodd gan gynifer o gefnogwyr eraill. Er nad oedd unrhyw arosfan bws i'w weld yn yr ardal, heb sôn am drafnidiaeth gyhoeddus, fe basiodd bws bychan gyda'r hyn oedd yn ymddangos fel gweithwyr shifft yn eistedd arno. Doedd dim i'w golli, ac felly fe wnaethom ystumiau arno i stopio yng nghanol ffordd fawr lydan. A dyna wnaeth ein Samariad Trugarog ni, gyrrwr y bws. Yn ein crysau coch, roedd pawb ar y bws yn sylweddoli pwy oeddem ni, a'n bod ni wrth gwrs wedi cyffroi rhyw fymryn. A do, fe aeth y gyrrwr â ni o fewn tafliad carreg i'r abaty, ac yn gwbwl ryfeddol, fe wrthododd gymryd yr un Ewro o dâl. Roedd e'n fwy awyddus i ddatgelu wrthym bod Lloegr wedi methu â churo Rwsia a'n bod ni felly ar frig y grŵp, ar ben ein digon, ar ben y byd.

Er i Iwan aros yn Ffrainc gydol y gemau grŵp, fe fûm i, *ahem*, yn gydwybodol a dychwelyd i'r gwaith a sicrhau bod y plant yn cael rhywfaint o addysg. Ond profiad rhyfedd oedd gwylio'r gêm yn erbyn Lloegr yn y gwaith a cholli cynnwrf y stadiwm a'r awyrgylch drydanol yn yr oriau cyn y gêm. Wedi dweud hynny, doeddwn i ddim yn argyhoeddedig y byddai'r awyrgylch yn un deuluol a chyfeillgar mewn gêm yn erbyn y cymydog drws nesaf.

Ie, hon oedd y gêm i finnau a'r plant ei cholli. Ond bellach ro'n i'n pryderu am y daith nesaf i Toulouse am fod y gwrthwynebwyr nesaf, Rwsia, yng nghanol trafferthion oherwydd ymddygiad rhai o'u cefnogwyr yn ystod y gêm yn erbyn Lloegr, gydag adroddiadau y gallent gael eu diarddel o'r bencampwriaeth.

Wrth gwrs, dychwelyd i'r abaty yn Bordeaux wnes i a'r bechgyn y penwythnos canlynol gyda thaith mewn car i Toulouse o'n blaenau diwrnod y gêm. Erbyn hynny, roedd rhai o'r criw wedi gadael yr abaty, eraill wedi hen ymgartrefu yno a phawb yn dal i gyd-dynnu, ag eithrio'r cwympo mas hwyliog am yr enw Cymraeg go iawn am *canard* – hwyaden ynte chwadan.

Erbyn i ni gyrraedd y brif ffordd o Bordeaux i Toulouse, fe sylweddolom ein bod ni'r Cymry eisoes wedi gwneud ein marc. Roedd Cymry eraill yn ein pasio ac yn canu corn. Ac roedd y Ffrancwyr, y gyrwyr mwyaf diamynedd yn fy mhrofiad blaenorol i, hefyd yn canu eu cyrn ac yn chwifio'u breichiau. Roedd yn digwydd mor aml nes i ni orfod archwilio'r car rhag ofn bod rhywbeth o'i le. Roedd pawb yn awyddus i ddathlu gyda ni, yn awyddus i ddangos eu bod nhw'n gwerthfawrogi ein cyfraniad i'r bencampwriaeth. Ni oedd y cefnogwyr hwyliog â'r hiwmor unigryw.

Unwaith eto, fel yn Bordeaux, roedd y Gymraeg yn berwi ar strydoedd Toulouse. Wrth gerdded i mewn i'n gwesty, chlywais i ddim Saesneg o gwbwl, dim ond y Gymraeg a Ffrangeg. Roedd y ffyliaid a oedd yn ffugio eu bod yn gefnogwyr pêl-droed wedi dychwelyd adre, a theuluoedd cyfeillgar o Rwsia oedd yn troedio strydoedd Toulouse. Unwaith eto, roedd pob stryd yn drawiadol o goch. Roedd y gân 'Don't Take Me Home' wedi hen ennill ei phlwy fel ein cân ni'r Cymry ac yn atseinio ar bob sgwâr. Dyna sut roedd dod o hyd i gefnogwyr Cymru, trwy ddefnyddio'n clustiau a dilyn y canu.

Roedd cwrw a gwin yn syfrdanol o ddrud yn Toulouse, a'r cerdiau credyd yn dechrau chwyddo. Ond roedd hi'n bosib taw hon fyddai'r gêm olaf i Gymru. Roeddem ni angen gêm gyfartal ac roedd hi'n ymddangos bod Lloegr yn sicr o guro Slofacia. Roedd asesu ein safle pe baem yn ennill, cael gêm gyfartal, neu hyd yn oed yn colli yn troi fel tiwn gron ym mhennau pob un ac wedi effeithio'n arw ar ein gallu i syrthio i drwmgwsg bob noson.

Fedra i ddim dewis rhwng y gêm yn Bordeaux a'r gêm hon yn Toulouse oherwydd bydd gennyf yr atgofion melysaf am y ddwy. Roedd cyfeillgarwch cefnogwyr Rwsia ar y ffordd i'r stadiwm mor arbennig a'r ddelwedd gyflwynodd y cyfryngau i bawb adre mor wahanol. Fe wnaeth y lleiafrif greu helynt ond anghofiwyd nodi bod mwyafrif llethol cefnogwyr Rwsia yn bobol glên, ac yn ein parchu ni fel gwrthwynebwyr. Wedi gôl gyntaf Aaron Ramsey yn y chwarter awr gyntaf, ffrwydrodd hyder di-droi'n ôl nas gwelwyd erioed o'r blaen ymhlith cefnogwyr Cymru. Aeth yr ail gôl gan Neil Taylor â ni i'r uchelfannau, ac yna'r drydedd gan Gareth

Bale. Am y tro cyntaf erioed wrth wylio Cymru, fe dreuliais bron i hanner y gêm yn dathlu, yn gwbwl argyhoeddedig na fydden yn colli hon, ac wedi ymlacio'n llwyr.

Gan amlaf mae rhyw agwedd ynom y gall unrhyw beth fynd o'i le, gan mai Cymru ydym ni wedi'r cyfan ac anlwc yn rhan o'n gwead. Ond nid y noson hon yn Toulouse. Doeddem ni ddim yno i gael hwyl yn unig bellach, roeddem ni yno i droi pennau, ac wedi profi ein bod yn llwyr haeddu'n lle gyda mawrion y byd pêl-droed. A dwi'n sicr fy marn bod y chwalfa 3–0 hon wedi magu hunanhyder yng Nghymru sy'n ymestyn ymhellach na ffiniau cae pêl-droed. Roedd yna agwedd y gallem ni gyflawni unrhyw beth – gyda'n gilydd.

Dwi 'rioed wedi rhoi sws i ddieithryn o'r blaen, ond mi gafodd George a oedd yn eistedd y tu ôl i mi glamp o gusan. Roedd ein hwyl, ein undod a'n hangerdd yn stadiwm Toulouse wedi'r chwiban olaf yn bwerus tu hwnt ac fe ganwyd 'Don't Take Me Home' yn ddi-baid. Doedd neb am adael, yn enwedig pan sylweddolwyd fod Lloegr wedi gwneud llanast ohoni a'n bod ni, unwaith eto, ar frig y grŵp, ar ben ein digon, ar ben y byd. Ac am deimlad – y byddem ni yng ngeiriau anthem Gymraeg y bencawpwriaeth, yn 'Rhedeg i Paris' a wynebu Gogledd Iwerddon yn y brifddinas yn yr 16 olaf. Wnaethom ni ddim rhedeg o'r stadiwm y noson honno yn Toulouse, dim ond loetran am oriau, ond chwarae teg i'r stiwardiaid, wnaethon nhw ddim colli amynedd â ni, dim ond gwenu.

Fuodd yna ddim llawer o gwsg yn y dyddiau canlynol chwaith, dim ond y panics rhyfeddaf i archebu hediadau mewn da bryd am bris y gellid ei lyncu, yn hytrach na'i fforddio. Chollodd Iwan yr un gêm, a finnau'n teithio 'nôl a 'mlaen. Teithiais i Baris wedi colli fy llais yn llwyr, ac yn y ddinas fawr ddrwg methais ymuno yng nghaneuon 'Dau Gi Bach' a 'Hen Fenyw Fach Cydweli' gerbron camerâu Siapan. Teg dweud bod gan y tîm cynhyrchu fwy o ddiddordeb yn ein barn am Gareth Bale nag yn rhifo'r losin du yn ein cwmni.

Roedd bod ym Mharis yn hynod felys er gwaetha'r ffaith fod y winllan adre yn sur wedi canlyniad Brexit, a oedd newydd fy llorio. Ar strydoedd Paris, roedd ein llafar-gân arferol wedi newid o 'Nous Sommes Pays De Galles' i 'Nous Sommes Européens'. Ac er nad y gêm hon yn erbyn Gogledd Iwerddon yn Parc de Princes oedd yr orau o bell ffordd, bachwyd y canlyniad fel pe baem yn blant yn dwyn y losin du. 1–0 a ffwrdd â ni.

Dwi'n siomedig hyd heddiw 'mod i wedi colli'r chwip o gêm yn erbyn Gwlad Belg, ac yn edmygu'r mab ieuengaf am ildio'i docyn er mwyn cynrychioli ei glwb ffermwyr ifanc. Ond fe gaethom ni fodd i fyw ar y soffa adre, yn gwrando ar sylwebaeth Nic Parry a Malcolm Allen pan sgoriodd Ashley Williams, 'Hal Haleliwia', ac yna Sam Vokes. Roedd yn brofiad gwahanol, ond un a fydd yn dal i aros yn fyw yn y cof. Wedi'r canlyniad annisgwyl yma wrth gwrs, roedd angen archebu hediad arall ar frys i Lyon. Ydw i wedi sôn eisoes 'mod i wedi eistedd drws nesaf i Ian Rush ar yr awyren?

A dyma ni felly, rownd gyn-derfynol Ewro 2016 yn Lyon, yr adrenalin yn dal i 'nghynnal i, ond yn dechrau gwanhau. Wrth grwydro strydoedd poeth y ddinas oriau cyn y gêm, roedd yna deimlad ym mêr fy esgyrn bod y cyfan ar fin dod i ben. Alla i ddim amgyffred sut roedd y chwaraewyr yn teimlo, ond roedd y cefnogwyr wedi blino'n lân. Mae cefnogi tîm llwyddiannus mewn pencampwriaeth bêl-droed yn waith caled, yn gorfforol ac yn feddyliol. Colli'r *gêm* yn unig wnaethom ni pan ganodd y chwiban olaf yn erbyn Portiwgal. A cholli er mwyn ennill – ennill calonnau miloedd ar filoedd o bobol ledled y byd.

Nid y Gymru sy'n cael ei phortreadu gan y wasg a'r cyfryngau gyflwynodd y cefnogwyr i weddill y byd yn ystod Ewro 2016, ond y Gymru go iawn, yn ei holl ogoniant ac amrywiaeth, gyda'r iaith a'r diwylliant Cymraeg yn rhan ganolog ohoni. Ry'n ni'n hen wlad fach gymhleth, ond yn ystod yr ymgyrch hon llwyddwyd i uno Cymru mewn modd nas gwelwyd erioed o'r blaen. Wrth reswm, gwnaeth y chwaraewyr argraff ddofn, ond pwy fyddai wedi dychmygu y byddai'r cefnogwyr wedi creu'r fath argraff gadarnhaol hefyd? Hon oedd y ffenest siop yn y safle mwyaf delfrydol. Gwelodd y cwmnïau mawrion fod y Gymraeg yn bodoli, nid fel addurn, ond fel iaith fusnes a marchnata, ac i'r Gymdeithas Bêl-droed a'r chwaraewyr mae'r diolch am hynny. Roedd y diolchiadau rhwng y chwaraewyr a'r cefnogwyr ar ddiwedd y gêm yn Lyon mor ddiffuant, ac mor Gymreig. Oedd, roedd yna ddagrau, ond roedd y galon yn gynnes braf.

Naws tebyg oedd ar faes Eisteddfod y Fenni eleni. Roedd yn gyfle i gwrdd â chyd-breswylwyr yr abaty unwaith eto a hel atgofion am y tro cyntaf. Ac i ddiolch o waelod calon i bob un ohonynt am y gwmnïaeth, y chwerthin a'r llefain, neu 'grio' i'r gogleddwyr yn eu plith. Diolch arbennig i'n ffrind oes, Gwenllian, am roi anrheg i'w drysori i bob un ohonom, sef albwm o luniau bendigedig a fydd yn gofnod i'n plant ac i blant ein plant, ein bod ni YNA gyda'n gilydd, pan gyrhaeddodd Cymru yr uchelfannau.

Dagrau dros dro yw dagrau siom, fel y profodd Iwan wedi gêm Romania yn 1993. Dagrau sy'n gysylltiedig â phwdu ydyn nhw a 'sneb call yn pwdu am gyfnod hir. Ond mae dagrau o lawenydd ac angerdd yn medru dychwelyd dro ar ôl tro, ar yr adegau mwyaf annisgwyl, hyd yn oed yn y gig nos Iau ym mhafiliwn yr Eisteddfod, gyda Candelas, Yr Ods a Sŵnami yn perfformio i sain wefreiddiol y Welsh Pops Orchestra. Profwyd rhywbeth y tu hwnt i eiriau y noson honno eto, yn enwedig pan ganwyd 'Rhedeg i Paris'. Roedd hunanhyder yn tasgu fel gwreichion ymhlith y mil wyth cant oedd yn bresennol. Ac wrth aros am yr anthem i gloi'r noson, roedd y stumog fel jeli, y wefus yn crynu ac ambell ddeigryn yn cronni, a chariad at Gymru yn berwi ymhob gwythïen oedd yno. Dyna ganlyniad uniongyrchol Ewro 2016. Canwyd yr anthem a chodwyd to'r pafiliwn, a theimlwyd yr ias a brofwyd ym mhob stadiwm yr ymwelodd Cymru â hi yn Ffrainc. O bydded i'r gobaith – a'r hyder – barhau!

Ffrainc, Mehefin 2016

Rhwng Bordeaux a Toulouse rhed afon Garonne,
Ei glannau yn frowngoch dan ymchwydd y don,
A byddin o Gymry sydd yno'n llawn tân,
Yn annog a herio a morio eu cân.

Mae adar Llanboidy a bois Penrhyn-coch,
Llond bws o Rosneigr, a hogs Abersoch,
Hen wariars o'r Waun a chefnogwyr Caerdydd,
Heb elyn na chynnen i ysgwyd eu ffydd.

Ac yno yng nghanol y bonedd a'r gwreng,
Wynebau cyfarwydd a dieithriaid leng,
Fe gafwyd gwelediad o'r hyn allai fod,
Petaem oll yn uno a chyrchu'r un nod.

Ni chanwyd yr anthem mor uchel erioed
Gan wneud i ni feddwl fod chwyldro ar droed,
Mor anodd dychwelyd i fywyd bob dydd
Ar ôl cael cipolwg o genedl rydd.

Phil Davies

Campyr-fans, Crysau Lwcus a Chalon Lân

FFION ELUNED OWEN

NID MEWN CAMPYR-FAN y dechreuodd fy antur i'r Ewros, ond yn hytrach ar drên i'r Fflint ar gyfer Eisteddfod yr Urdd, wythnos union cyn cychwyn am Ffrainc. Prin yr oeddwn wedi eistedd cyn i mi gael galwad ffôn efo newyddion ysgytwol, y math o beth sy'n digwydd i bobol eraill.

"Wyt ti'n eistedd i lawr?" meddai Iolo, fy nghariad. "Ym, paid â phanicio, ond ma 'na broblem efo'r campyr, mae 'na reswm pam 'da ni'n methu cysylltu efo'r cwmni; ma nhw 'di diflannu, efo'r pres."

Amhosibl oedd peidio â phanicio. Yn griw o ddeg o ffrindiau coleg o Aberystwyth, roedden ni wedi llogi dau gampyr-fan 'nôl yn yr hydref, gan ddau gwmni gwahanol. Ond bellach dim ond un oedd gyda ni. Rhwng deg! Gyda gwyliau Glastonbury a Silverstone yn digwydd yn ystod yr Ewros, roedd campyr-fans yn brin, a dyma lansio ymgyrch ar y

40

cyfryngau cymdeithasol i chwilio am un newydd. Treuliais y dydd Gwener yn crwydro maes y Steddfod ar y ffôn, ar Facebook a Twitter; bron i mi fynd i gnocio ar ddrysau yn y maes carafannau. Dros 200 rîtwît ac oriau o alwadau'n ddiweddarach, fe'n hachubwyd gan ffrind i ffrind o Bontardawe, a sicrwydd o gampyr. Wel, *motorhome* i fod yn fanwl gywir.

Mae pobol yn synnu weithiau bod gan ferch sy'n astudio am ddoethuriaeth mewn llenyddiaeth Gymraeg gymaint o ddiddordeb mewn pêl-droed. Dwi erioed wedi bod yn un am chwarae'r gêm – dim ond i dîm dan 9 Groeslon neu wrth 'chwarae Wembley' amser cinio yn yr ysgol. Ond mae'r diddordeb wedi bod yno ers 'mod i'n ifanc: blwyddlyfr *Match* fel anrheg Nadolig, y toriadau papur newydd o gemau Man Utd a'r sleifio i lawr grisiau ar fore Sul i wylio ailddarllediad *Match of the Day*. Dwi'n cofio'r daith i Gaerdydd – bell iawn i hogan ddeg oed – i wylio Cymru am y tro cyntaf yn erbyn Gwlad Pwyl yn 2001. Mae mwyafrif yr atgofion am dripiau i'r brifddinas yn gysylltiedig â rhyw gêm, gan gynnwys *hat-trick* Earnshaw yn erbyn yr Alban a gôl gyntaf Bale yn y grasfa gawsom yn erbyn Slofacia. Nid yw bod yn ferch sy'n hoffi pêl-droed yn hawdd, yn bennaf gan mai prin iawn yw'r ffrindiau benywaidd sydd hefyd yn rhannu'r un diddordeb, ac nid oes yr un criw o fechgyn eisiau cwmni dim ond un ferch ar drip awê i wylio Cymru. Dyna sut mai fi, fy chwaer ac wyth o hogiau gychwynnodd yn gyffro i gyd ar y 10fed o Fehefin, a digon o le yn y campyr-fans newydd i'r holl grysau a fflagiau, y set griced a'r cadeiriau glan môr, gemau Monopoly ac Articulate! a llond llyfrgell o lyfrau pêl-droed.

Roedd cerdded o gwmpas Bordeaux fel cerdded o gwmpas y Steddfod, dim ond bod yno fwy o lefydd yn gwerthu diod, mwy fyth o ganu a llawer llai o grysau rygbi (diolch byth). Ar ôl blynyddoedd o edrych ymlaen, wna i fyth anghofio canu 'Hen Wlad Fy Nhadau' am y tro cyntaf hwnnw gyda thri chwarter y stadiwm o gyd-Gymry, pob nodyn yn gyforiog o emosiwn hanner canrif. Roedd teulu o Ffrancwyr yn eistedd drws nesaf i ni ac fe dreulion nhw'r gêm gyfan yn rhyfeddu at y fath awyrgylch a sŵn ac yn recordio fideos o'r canu a'r dathlu. Ac am ddathlu. Dwi'n cofio troi at Iolo ar ôl gôl Bale a dweud, "Beth bynnag sy'n digwydd, o leia 'da ni ddim wedi jyst dod yma, 'da ni 'di sgorio 'fyd." Petawn i ond yn gwybod beth oedd i ddod.

Un o anfanteision teithio mewn campyr-fans oedd nad oedden ni'n cyrraedd y ddinas tan ddiwrnod y gêm ac felly tra roedd pawb arall yn cyd-ganu'r anthem ar y Quai De La Douane ar y nos Wener, roedden ni rhywle ar y lôn rhwng

Cherbourg a Bordeaux, yn dechrau sylweddoli'n union pa mor anferth oedd Ffrainc. Hyd heddiw, nid oes gennyf syniad lle y bu i ni stopio i gael ychydig oriau o gwsg ar y noson gyntaf honno, ond mawr yw'n diolch i *Aires* Ffrainc, y safleoedd ar draws y wlad i stopio dros nos. Roedden ni wedi twyllo ychydig bach ac archebu Airbnb yn Bordeaux a Toulouse, gan y byddai angen cawodydd call bob hyn a hyn. Bu'n rhaid gwneud yr un peth funud olaf ym Mharis gan fod y maes gwersylla ar gyrion y Bois de Boulogne o dan ddŵr. Yr opsiwn arall oedd cysgu yn y campyr ar ochr lôn, a dyna a orfu ddigwydd ar fwy nag un achlysur. Wedi noson ar ochr y ffordd ym Mharis, fe benderfynodd *Newyddion 9* ddod i'n ffilmio yn ein cartre dros dro – tybed a oedd gwylwyr S4C yn dyfalu ein bod newydd dalu €2 am goffi yn y caffi agosaf er mwyn cael defnyddio'r toiledau i ymolchi? Penderfyniad munud olaf oedd cysgu mewn maes parcio yng nghanol Annecy a phrofiad od oedd deffro mewn pyjamas yng nghanol teuluoedd a henoed yn eu hetiau a'u heli haul yn barod am ddiwrnod ger y llyn.

Rhai ofergoelus yw cefnogwyr pêl-droed ac wedi i ni, fel tîm Cymru, wisgo crysau gwahanol i chwarae yn erbyn Lloegr, roedden ni'n benderfynol bod rhaid gwisgo'r un crys ag yn ystod gêm Slofacia ar gyfer pob un arall. Roedd hynny'n golygu golchi dillad rhwng y gemau, ddim y dasg hawsaf i ddeg person mewn campyr-fans. Mi aethon ni dros ben llestri braidd y tro cyntaf i ni weld peiriant golchi, a gwneud chwe llwyth o olch i hongian o'r campyrs a'r coed i sychu'n ddel. Yn anffodus bu i niwl a gwlith y nos olygu i ni ddeffro'r bore canlynol efo'r golch i gyd yn dal yn wlyb; diolch byth am haul crasboeth y ddinas a gardd gefn yr Airbnb yn Toulouse. Nid gwisgo'r crysau oedd yr unig ddefod o gêm i gêm. Ers Cyprus, roedd yr hogiau wedi dechrau traddodiad o gael hufen iâ Magnum ar ddiwrnod gêm, a hwnnw'n gorfod bod yn siocled gwyn. Golyga hynny helfa o gwmpas y siopau cyn pob gêm yn chwilio am yr hufen iâ arbennig hwn. Roedd rhaid bodloni ar Magnum siocled tywyll yn Lens a hwnnw, yn ogystal â'r crysau gwahanol, gafodd y bai am y canlyniad. Roedd gennym i gyd ein harferion ein hunain a finnau'n gorfod gwisgo'r un esgidiau, yr un jîns/siorts ac yn gorfod steilio fy ngwallt yr un ffordd ar gyfer pob gêm, arferion sy'n swnio'n wirion o edrych yn ôl ond ar y pryd mi oedden nhw'n bwysig.

Y gêm yn Toulouse oedd un o uchafbwyntiau'r daith i mi. Efallai am mai colli yn erbyn Rwsia yn 2003 oedd fy mhrofiad cyntaf o dorcalon pêl-droedaidd a'i bod hi'n amser talu'r pwyth yn ôl. Dwi erioed wedi mwynhau gwylio Cymru'n chwarae gymaint, a dwi ddim yn meddwl i'r canu stopio am y 90 munud cyfan. Dwi'n cofio ciwio am y toiled hanner amser, yn siarad efo Cymry eraill fel tasen nhw'n hen ffrindiau, pawb yn methu credu'r hyn yr oedden ni newydd ei weld. Dwi ddim yn siŵr os oedd yno fwy o ferched yn Toulouse, ond dyna'r unig le dwi'n cofio gorfod ciwio i fynd i'r toiledau; un o'r manteision o fod yn ferch ar drip pêl-droed (er bod angen addysgu Ffrainc am sut i ddarparu toiledau gan mai rhai i rannu oedd yn y mwyafrif o lefydd).

Er yr holl Gymry yn Ffrainc, roedd hi'n naturiol gweld ffrindiau a theulu ym mhob un o'r dinasoedd – ar y strydoedd, yn y tafarndai neu y tu allan i'r stadiwms. Llwyddais i dreulio amser efo sawl aelod o'r teulu, Dad yn ciwio am y bysus i Lens, teulu Llanllyfni mewn caffi ym Mharis, teulu Port ar y sgwâr yn Lyon. Ar ôl y cwpl o gemau cyntaf, roedden ni wedi dechrau dod i adnabod y bobol oedd yn eistedd yn yr un rhannau â ni o'r stadiwms. Mi wnaeth yna foi clên iawn ddigwydd fy nal wrth imi hedfan oddi ar gadair yn dathlu gôl Ramsey yn erbyn Rwsia ac fe'i gwelais eto mewn caffi yn Lille. Roedd y dyn oedd yn eistedd o'n blaenau ni yn y gêm agoriadol yn gobeithio na fydden ni y tu ôl iddo yn y gemau eraill – roedden ni'n gwneud gormod o sŵn yn ôl pob tebyg – ond fe'i gwelais ar y stryd yn Lens yr un fath.

Er ei bod hi'n anodd coelio hynny ar adegau, nid Cymry yn unig oedd yno wrth gwrs, ac mae'r mis yn llawn o atgofion o sgwrsio efo cefnogwyr o wledydd eraill. Yr Awstriaid yn y ffanbarth yn Bordeaux, yr Almaenwyr a chefnogwyr y Swistir yn y tafarndai yn Pigalle ym Mharis, ac Eidalwyr hynod gyfeillgar a gynigiodd wyliau i ni yn ne'r Eidal. Buom yn brysur yn dysgu geiriau ac ymadroddion Cymraeg i'n ffrindiau newydd ac roedd chwilfrydedd pobol oedd am gael gwybod mwy am ein hiaith yn thema gyffredin ar hyd y daith. Roedd yna ddyfalu ein bod yn siarad pob iaith o Sbaeneg i Rwsieg, a Ffrancwyr oedd heb hyd yn oed glywed am Gymru – erbyn y diwedd roedd enw Bale yn gwneud y tric, a sylweddoliad y bobol leol mai ni oedd y tir '*to the west of England*' yn gorfod gwneud y tro. Ond fe'm synnwyd ar yr ochr orau wrth ymweld â phalas Versailles gan mai Llydäwr oedd yn siarad ychydig o Gymraeg oedd wrth y ddesg, a dyma dalu am ein tocynnau yn ein hiaith ein hunain – ym Mharis!

Gyda chymaint o ganmol wedi bod ar ddefnydd anhygoel yr FAW o'r iaith, mae'n wir dweud ein bod ni'r cefnogwyr wedi chwarae ein rhan hefyd, a'r Gymraeg i'w chlywed yn naturiol o gwmpas y lle. Mae'r anthem wedi hen ennill ei phlwyf yn yr eisteddle yn ystod y gêm ond fe ddaeth 'Calon Lân' yn un o'r ffefrynnau yn Ffrainc, ac roedd yna deimlad o falchder wrth inni glywed y geiriau

Cymraeg yn cael eu canu fel rhan o'r *repertoire* – a'r geiriau hynny'n atseinio'n glir dros setiau teledu ar draws Ewrop. Roedd yr holl ganu wrth deithio i'r stadiwms ar y metro a'r tramiau gorlawn yn uchafbwynt arall, yn enwedig ar y ffordd i'r gêm yn erbyn Gogledd Iwerddon, wrth i ni ddiddanu *les Parisie*ns â phopeth o ganeuon pêl-droed i emynau ac 'Oes Gafr Eto?'

Un o brif fanteision gwneud y daith efo campyr-fans oedd ein bod yn gallu dilyn ein trwynau a stopio mewn gwahanol lefydd ar y ffordd. A dyma sut mae'r pêl-droed wedi ei blethu efo atgofion melys o ddarllen ar y traeth yn Île de Ré, crwydro tre hynafol Carcassonne, o nofio yn y llyn yn Annecy ac o farbeciws a gwin da, a chwarae Articulate! a Monopoly nes oedd hi'n tywyllu mewn meysydd gwersylla yn ardaloedd y Rhône a Champagne. Ar wahân i'r gemau pêl-droed eu hunain, un o uchafbwyntiau'r daith oedd y penwythnos a dreuliwyd yn nhre Ambazac ger Limoges. Drwy berthynas i un o'r criw roedden ni wedi trefnu ein bod yn chwarae gêm bêl-droed yn erbyn y tîm lleol a golygfa wych oedd gweld confoi o bum campyr-fan a cheir wedi'u haddurno â fflagiau Cymru yn llifo i mewn i'r dre ar y bore Sadwrn. Ambazac enillodd y gêm ond fe gawsom groeso cynnes, swper pedwar cwrs, digon o ganu, Ffrangeg a Chymraeg, ac efo gwydraid o win ond yn costio €1.30, roedd hi'n noson a hanner.

Roedden ni eisiau stopio mewn llefydd o ddiddordeb Cymreig a diolch i'n Ffrangeg bratiog fe lwyddon ni i leoli cofeb Owain Lawgoch, yr olaf yn llinach tywysogion Gwynedd, ar ein ffordd o Bordeaux. Mae'r gofeb i Yvain de Galles wedi ei gwneud o lechen Blaenau Ffestiniog a'i lleoli ym Mortagne-sur-Gironde. Fe fu'n ymladd dros frenin Ffrainc yn erbyn Lloegr yn y Rhyfel Can Mlynedd a nodir iddo farw 'pour la France et Cymru' yn 1378.

Wrth deithio i Lille a sylweddoli pa mor agos i Wlad Belg oedden ni, dyma benderfynu picio dros y ffin i weld bedd Hedd Wyn. Ar ôl bod yn Yr Ysgwrn, dwi'n falch iawn o fod wedi ymweld â mynwent Artillery Wood hefyd, bron union ganrif wedi marwolaeth y bardd. Roedd y llyfr negeseuon yn frith o gefnogwyr Cymru oedd wedi cael yr un syniad ac wrth fynd ymlaen i weld y gofeb newydd i'r milwyr Cymreig yn Langemark, profiad cofiadwy oedd gweld y gair 'croeso' ar ochr y ffordd, y ddraig efydd a'n baner yn chwifio'n gartrefol yn y gwynt.

Roedd gyrru drwy Wlad Belg ar noswyl ein gêm yn eu herbyn yn deimlad od, a'r Ddraig Goch ar flaen y campyr yn ennyn ymateb yng nghanol yr holl *tricolores* du, melyn a choch. Yn anffodus fe ddiflannodd y fflag yn Lille, ac rydyn ni'n amau'n gryf mai'r Belgiaid oedd yn gyfrifol, gan eu bod wrthi drwy'r dydd yn ceisio cyfnewid crysau ac yn trio cael gafael ar ein *bucket hats*. Roedd canol Lille y prynhawn hwnnw fel un parti mawr, yn gyrff mewn coch ymhob man, rhai yn nofio yn y ffynnon, eraill yn hongian o ffenestri ac yn dawnsio ar ben arwyddion ffyrdd, yn firi o fflêrs a hwtyrs a photeli gweigion. Amcangyfrifwyd fod tua 150,000 o Felgiaid yn y ddinas a phan sgoriodd Nainggolan fe wnes i wir sylweddoli cymaint mwy ohonyn nhw na ni oedd yn Stade Pierre-Mauroy. Fe ffrwydrodd y lle. Mae'r atgofion am y gêm anghredadwy honno yn un gybolfa o sgrechian a gorfoleddu a chnoi gwinedd, efo goliau Robson-Kanu a Vokes, a ddigwyddodd reit o'n blaenau ni, fel golygfeydd allan o freuddwyd. Fe gafodd y stiwardiaid druain gryn drafferth ein hel allan o'r stadiwm; doedd neb eisiau ffarwelio â'r lleoliad gwyrthiol. Ond fe gawson groeso annisgwyl yn ôl yn yr orsaf drenau, *guard of honour* gan y Belgiaid, a oedd mewn hwyliau gweddol o ystyried eu bod wedi bod mor hyderus o fuddugoliaeth cyn y gêm.

A Bordeaux yn teimlo fel trip mewn oes arall, rhyw deimlad tebyg i'r penwythnos agoriadol oedd hi yn yr haul ar strydoedd Lyon ar gyfer y gêm dyngedfennol yn erbyn Portiwgal, â'r Cymry'n ôl yn y mwyafrif. Yn amlwg roedd yna dorcalon a siomedigaeth ar ddiwedd y gêm, nid o ran perfformiad, ond o fod mor agos i'r ffeinal, gan wybod mwyaf tebyg na chawn y fath gyfle eto. Ar ôl bod yn Ffrainc am bron i fis, roedden ni wedi mynd yn farus ac yn dyheu am gael 'Rhedeg i Paris' unwaith yn rhagor. Ond roedd yr awyrgylch ymysg ein cefnogwyr ar y chwiban olaf, ac ymhell ar ôl i gefnogwyr Portiwgal adael eu seddi, yn drydanol, ac yn achlysur i'w drysori. Dyma oedd ein cyfle ni yn Ffrainc i ddiolch i'r garfan am y perfformiadau a'r goliau, y dathliadau a'r gobaith, y gwladgarwch a'r atgofion oes. Roeddwn i'n dod adre efo llawer mwy na *fridge magnets* lliwgar, cyfrif banc gwag a gwerth deg diwrnod ar hugain o luniau.

Profiad dieithr oedd cyrraedd 'nôl yng Nghaerdydd i ganol y parêd, i wylio'r gemau'n ôl ar S4C Clic, i ddarllen yr holl erthyglau a'r adroddiadau a sylweddoli bod ein profiad Ewros ni yn wahanol iawn i'r hyn oedd wedi bod yn digwydd gartre. Yndi, mae hi'n gallu bod yn gyfyng ac yn flêr mewn campyr-fan, ac mae'n profiad ni ynghlwm â chawodydd oer, cysgu mewn meysydd parcio a holi diddiwedd am gyfrinair Wi-Fi, ond dyma a'n galluogodd i aros yn Ffrainc am yr holl gyfnod, heb orfod mynd adre a heb orfod gwneud fawr o drefniadau newydd wrth i'n tîm pêl-droed synnu Ewrop. Yn yr wythnosau'n arwain at fis Mehefin, a ninnau'n bwriadu aros allan tan y 4ydd o Orffennaf beth bynnag, yr un cwestiwn oedd gan bawb, "Be 'da chi am wneud ar ôl i Gymru fynd allan?" A ninnau wedi gorfod ymestyn ein arhosiad mewn cartrefi symudol am wythnos arall, roedd yr un bobol yn troi ataf yn Lyon ac yn cenfigennu. Dwi erioed wedi bod mor falch o gael ffrindiau optimistaidd – nac o fod yn fyfyrwraig o hyd heb swydd i fy nghlymu. Dwi'n teimlo'n lwcus iawn o fod wedi cael teithio Ffrainc a phrofi'r fath lwyddiant a'r fath hanes. A diolch i un teulu caredig o Bontardawe am achub y dydd efo'u campyr-fan!

Gwlad Fach, Teulu Mawr

Rhys Hartley

Bron i fi ei cholli hi. Dyna lle o'n i ym Mharis, yn rhedeg i fyny ac i lawr ar hyd y stesion. Bordeaux? Bordeaux? Ble oedd y trên i Bordeaux? Roedd tocyn 'da fi ac am unwaith ro'n i yno mewn da bryd. 'Nes i fwcio'r ffleit i Baris a'r siwrne drên yr un diwrnod, roedd hi'n amhosib 'mod i wedi gwneud camgymeriad. Edrychais ar fy nhocyn. Ro'n i ddiwrnod yn hwyr.

Am flynyddoedd maith ro'n ni wedi canu, 'We'll Never Qualify'. Siant addas iawn wrth i ni ddiodde methiant ar ôl methiant. Do'n ni ddim yn disgwyl i'r diwrnod ddod, byth, a nawr ei fod e 'ma, do'n i ddim am adael i unrhyw beth ddod rhyngof i a'r profiad o weld Cymru yn Ffrainc.

Er i mi drio dadlau bod €92 am docyn oedd ond yn costio €11 cwpwl o fisoedd ynghynt yn warthus, rhoddais fy llaw yn fy mhoced a cherdded bant yn cwyno dan fy ngwynt.

Ro'n i *off!*

Problem arall oedd trio ffeindio Dad. Dyw e byth yn cadw at ei air. Wedi disgwyl ar stepen ddrws yr Airbnb am bron i awr, o'r diwedd ro'n ni'n barod ar gyfer yr ymweliad elusennol a gêm y cefnogwyr – dau ddigwyddiad sy bellach yn rhan annatod o'n tripiau i weld Cymru.

Yn 56 oed, mae Dad yn dal i feddwl ei fod e'n gallu chwarae – fuodd fawr o siâp arno erioed. Wedi blynyddoedd o haslo'r rheolwr mewn gwledydd anghysbell i ddod ag e *off* a'n rhoi i 'mlaen, dwi bellach wedi sicrhau fy lle i yn yr 11 cyntaf, gyda Dad 'mond yn cael gêm pan y'n ni wir yn crafu'r gwaelod.

Ond mae'n braf cael rhannu'r cae 'dag e. Ac mae e wastad yn fy atgoffa i mor browd o'n i pan sgoriodd ef yn erbyn cefnogwyr yr Alban. Un gôl yn fwy na fi. Bastad!

Bobman ry'n ni'n chwarae ni'n ymweld â chartre neu ysbyty i blant ar ran Gôl, elusen y cefnogwyr, ac yn rhoi anrhegion neu gitiau pêl-droed iddyn nhw. Fel crwt, roedd hyn yn agoriad llygad pwysig mewn llefydd gwirioneddol dlawd fel Azerbaijan a Latvia a wy'n browd o fod yn rhan o waith da yr elusen heddiw.

Yn Bordeaux fe enillom ni'r ffans glod am ein

natur hwylus a pharchus, tra roedd y straeon adre'n ffocysu, fel arfer, ar ochr dywyll y gêm brydferth. Yn sicr, doedd dim tamaid o drwbl yn ein plith ni'r ffans wrth i ni baentio'r ddinas yn goch.

Ry'n ni, y cefnogwyr selog, wedi datblygu'n dipyn o glic, gan droi ein trwynau lan ar gefnogwyr newydd. Ond roedd rhyw deimlad gwahanol yn Bordeaux. Ar wahân i'r crysau rygbi (dwi ddim yn hoffi'r gamp ta beth, ond sut ddiawl all unrhyw Gymro wisgo'r dair pluen?), ro'n i'n falch o weld y genedl wedi uno yn gefen i'r tîm pêl-droed.

Gyda'r gêm ar ddydd Sadwrn, roedd hi'n gyfle prin i lot o bobol ein gwylio ni dramor. Ac roedd ein teulu ni yr un peth, gyda Mam yn dal y trên o Bort Talbot ar ganiad cloch ola'r ysgol pnawn Gwener er mwyn ymuno â ni. Ers blynyddoedd, mae hi wedi gorfod diodde gwylio'r gamp ar y teledu tra bo Dad a finnau'n teithio i bob cwr o Ewrop. Roedd hi mor falch cael bod yn rhan go iawn o'r hwyl.

Yr un peth ag wrth wylio fy ngêm gyntaf yn yr Eidal yn 1999 roedd y teulu i gyd gyda'n gilydd unwaith eto. Gwyliau ysgol oedd hi bryd 'ny. Er fy ffydd yn Bologna y bydden ni'n ennill 7–1, (5 oed o'n i), colli oedd yr hanes.

Ond y tro hwn, yn y bariau ar draws y sgwariau ac ar y tram i'r grownd, roedd y canu'n ddi-baid wrth i'r môr o goch disgwyliedig lifo i Stadiwm

Bordeaux. Dwi ddim yn meddwl i mi glywed y fath angerdd yn lleisiau'r Cymry erioed. Dwi'n siŵr i mi ffeindio rhyw hanner dwsin o ddesibels do'n i erioed wedi'u defnyddio o'r blaen.

Ac fe gododd y tîm mewn ymateb i ni. Roedd arwyddair yr FAW, 'Gyda'n gilydd, yn gryfach', yn ymddangos yn fwy triw na'r gimic marchnata yr oedd yn ymddangos ym meddyliau cynifer.

Gôl! Dagrau. Cofleidio. Nerfau.

Gôl i Slofacia. 'Wel, dyna be ni'n haeddu am godi'n gobeithion. Waeth i ni gario 'mlaen â'r canu i annog y tîm i gadw'r pwynt.'

Ac yna, o 'nunlle, o frwydr ddi-ddim yng nghanol y cae... y bêl yn rholio dros y llinell mewn *slowmotion* ac anfon degau o filoedd o Gymry yn llythrennol wyllt.

Gan ddringo dros ben tri neu bedwar o bobol, â'i grys *off*, daeth Dad tuag ataf mewn dagrau. Dyma ni'n cofleidio, yn methu gwahaniaethu rhwng y dagrau a'r chwys. Pobol yn rhedeg lan a lawr y grisiau â dim syniad beth i'w wneud. Doedd hyn ddim yn digwydd i ni Gymry.

'Hal. Robson. Hal Robson-Kanu!' Yr arwr cwlt yn ad-dalu ein ffydd ac yn dod yn gawr o Gymro.

Wrth gerdded o'r grownd, ro'n i'n teimlo fel petawn i ar ryw gyffur. Bob can llath roedd gwên dwp yn ymddangos a chwerthiniad bach yn ffrwydro mas, roedd y dyrnau'n caledi a finnau'n cael fy ngorfodi i bwnio'r awyr. Do'n i ddim yn gallu stopio fy hun.

Yn ôl yn y ddinas roedd y cwrw a'r gwin yn llifo, a golwg sgleiniog yn llygaid pawb. A jest pan o'n i'n meddwl nad oedd modd i bethau wella, sgoriodd Rwsia yn y funud olaf i wadu tri phwynt i Loegr. Bellach roedd y pwysau arnyn nhw yn ein gêm nesaf bwysig ni, ac roedd pob un ohonom yn hyderus. Efallai mai'r gwin oedd yn siarad.

Y prynhawn wedyn, daeth criw o Slofaciaid i mewn i'r bar. Fe gymerodd hi gwpwl o beints i ni ddechrau siarad a chymryd ein tro i ganu caneuon. Fe ddysgon nhw un siant er mwyn i ni allu ymuno â nhw: 'Oumama, Oumama, Ouma-ouma-oumama!' Mae gallu gan bêl-droed (a chwrw) i uno pobol, a chafodd pob un ohonom fwynhau noson o frawdgarwch a hwyl.

Yn Arras, y tu fas i Lens, fe glywsom ni gefnogwyr Lloegr o bell i ffwrdd. Penderfynom osgoi'r prif sgwâr a threulio'n hamser mewn bariau ychydig yn llai. Roedd grŵp o'n ffrindiau ni'n aros mewn *yurt* tu fas i Arras, a daethon nhwythau 'fyd. Cawsom laff yn canu'n ddwl wedi yfed gormod – er i Dad fynd cam yn rhy bell eto, gan dynnu ei grys *off* a'i chwifio dros ei ben.

Fel yn Bordeaux, ymunodd un arall â'n criw ni

ar fore'r gêm – fy ffrind gorau. Gyda'r heddlu a 'chynrychiolwyr y cefnogwyr' (i beth ma nhw'n dda, dwn i'm) yn rhybuddio nad oedd modd cael yr un dropyn o gwrw yn Lens, aethom ni i'r siop i brynu brecwast a digon o gwrw. Er y gofidion, roedd pob bar yn Lens – a roedd digon ohonyn nhw – yn gorlifo a chefnogwyr y ddwy wlad yn yfed a sgwrsio heb damaid o drafferth.

Fel o'n ni'n disgwyl roedd lot mwy ohonyn nhw na ni, ond ni enillodd y gystadleuaeth ganu. 'Ingurland, Ingurland, Ingurland' a'u hanthem oedd yr unig beth i mi ei glywed tra bo ninnau'n canu cyfoeth o emynau a chaneuon pop i annog y bois.

Pan aeth cic rydd Bale i gefn y rhwyd dathlais fel erioed o'r blaen. Fe wnaeth y cleisiau o'r seddi bara ar fy nghoesau ymhell ar ôl i'r twrnamaint orffen. Yn ystod hanner amser, gwelwyd y dathlu mwyaf gyda miloedd o Gymry llon yn neidio a chanu nerth esgyrn ein pennau. Ro'n i'n dal i frathu 'ngewinedd. Do'n ni ddim yn haeddu'r gôl.

Beth yw e am Loegr? Pam *nhw*? Wedi rhoi'r cloc ar fy ffôn i gyfri'r amser ychwanegol, dyma'r floedd o ochr draw'r stadiwm yn ein trywanu ac fe suddom ni. 2–1 i Loegr. Torcalon.

Daeth Chris Gunter draw i ddiolch i ni, yn erfyn arnom i godi'n pennau. Roedd hyder y tîm a'u hundod yn amlwg a doedd y boen ddim am bara'n hir, er gwaethaf ymdrechion cefnogwyr Lloegr i'n dilorni ni ar y ffordd mas.

Roedd y Saeson wnaethom ni gwrdd â nhw yn glên iawn, ac yn gwbl groes i ddelwedd y wasg ohonyn nhw. Er hyn, roedd rhywbeth nawddoglyd amdanyn nhw. Ta beth, daeth ein grŵp bach ni at ein gilydd i asesu beth aeth o'i le ac roeddem yn barod yn trafod tactegau ar gyfer y gêm nesaf hollbwysig.

Fe gymerom ni hi gan bwyll dros y diwrnodau nesaf ac ymweld ag amgueddfa Louvre-Lens yn Lens. Casgliad arbennig, ond arddangosfa'r clwb pêl-droed lleol ddaliodd fy sylw i. Straeon hyfryd am undod gyda'r gymdogaeth, ynghyd â chasgliadau ac atgofion personol y cefnogwyr a hanes sefydlu ac ehangu'r clwb fel rhan o gymuned mewn hen ardal lofaol.

Gyda'r batris wedi'u hadnewyddu, ro'n ni'n barod am y parti nesaf. Ers misoedd, ro'n ni'n gwybod bod y Super Furry Animals, un o'm hoff fandiau, yn mynd i chwarae gig dwy noson cyn y gêm yn Toulouse. Nhw yw band answyddogol y cefnogwyr ac roedd bron â bod pob un Cymro yn Ffrainc yn bwriadu mynychu'r gig.

Roedd y gymysgedd o'u hitiau a'u stwff seicedelig yn swyno'r dorf oedd yn barod i ddechrau'r siantiau pêl-droed ar y cyfle lleiaf. I seiniau 'Bing Bong', eu cân arbennig ar gyfer y twrnamaint, fe godwyd y parti i lefel uwch ac roedd pawb yn bloeddio fel petaen nhw ar y terasau. Ac yna 'Hen Wlad fy Nhadau'... Hyn oll ar lan afon Garonne. Noson swreal ond hollol addas.

Cyn y gêm ei hun, roedd mater bach gêm y cefnogwyr yn erbyn y Rwsiaid. Ar ôl clywed am yr helynt maen nhw'n ei achosi ym mhobman roedd hi'n bwysig i ni gael cwrdd â nhw er mwyn profi mai cefnogwyr y'n ni i gyd; pobol normal sy jyst moyn cefnogi'n gwlad.

Cyrhaeddais i a Dad yr un pryd â'r gic gychwynnol, felly fe gollais fy lle yn yr 11 cyntaf. Gêm gyfartal oedd hi yn y pen draw, ac fe sgorion ni ar y funud olaf. Amser i ddathlu yn barod? Roedd y cwrw a'r cyfeillgarwch yn llifo'n rhwydd ym mar y clwb, gyda'r Rwsiaid yn ein gwahodd i gael cinio 'da nhw cyn mynd i'r gêm.

Ar hyd yr afon gyda'r haul yn tywynnu roedd hi'n teimlo fel trip i'r criced yn ôl yng Nghaerdydd. Ond roedd y nerfau'n codi unwaith eto. Fe benderfynom ni gyrraedd ychydig yn gynt na'r arfer, rhag ofn mai hwn fyddai ein profiad olaf o'r bencampwriaeth.

Fe gymerodd pob un ohonom, yn ein tro, ein lle yn y 'Wal Goch', fel oedd hi nawr wedi ei bedyddio.

"Rhys! Rhys... LISTEN!"

"Eh?"

"This may be our last chance to sing our anthem in a tournament. EVER. Give it your best."

Roedd geiriau Matt wedi tynnu'r dagrau. Ro'n i'n benderfynol o roi pob dim i'r 90 munud yma.

Unwaith eto roedd yr anthem yn ddirdynnol, ond y gêm ei hun? Dwi erioed wedi treulio cyn lleied o amser yn edrych ar gloc yn ystod gêm Cymru. Cyfforddus yw'r unig ffordd i ddisgrifio'r noson ar y cae gyda phawb yn dawnsio'n wyllt yn y *stands*.

Wrth gwrs, ro'n ni 'mond yn ffocysu ar ein gêm ni, felly pan ddaeth y newyddion o chwiban olaf gêm Lloegr, roedd fel petai gôl arall wedi cael ei sgorio. Ro'n ni *off* i Baris! Fel enillwyr y grŵp. Daeth y chwaraewyr draw i ymuno â ni a pharhaodd y dathlu nes i'r stiwardiaid ein hel ni o'r grownd. Unwaith yn rhagor, daeth yr effaith yna drosta i fel cyffur a pharhaodd y wên gydol y wâc 'nôl.

Fe gafodd y bois syniad da a dyma nhw'n stocio'r fflat gyda gwin a *fizz* tra o'n i a Dad yng ngêm y cefnogwyr. Temtio ffawd braidd, ond roedd yn drît arbennig i ni ddod 'nôl ato, ynghyd â'r bonws ychwanegol o gael gwylio uchafbwyntiau gêm Lloegr ar y teledu. Cawsom ddathliad go iawn, gan adael y pryderu am sut i gyrraedd Paris tan y bore wedyn.

'Rhedeg i Paris' bron â bod yn llythrennol, felly. Ond roedd problem fach 'da Dad a fi: roedd rhaid i ni fynychu priodas deuluol yn Nulyn, diwrnod cyn gêm yr 16 olaf. (Pwy ddiawl sy'n trefnu priodas yng nghanol yr Ewros?)

Wedi'r holl nosweithiau ar y cwrw, a mwy i ddod, doedd priodas Wyddelig ddim cweit beth oedd angen ar ein cyrff. Nac ar emosiynau Dad. Gyda'r band yn y parti fin nos yn dechrau un o ffefrynnau cefnogwyr Cymru, 'Can't Take My Eyes Off You', dyma Dad yn beichio crio. Ro'n i a Mam yn trio dathlu ond yn gorfod cysuro'r *mess* emosiynol hwnnw. I fi, roedd y foment yn berffaith: teulu, a dathlu â'r Cymry oddi cartre yn un. Ro'n i'n barod am gêm y prynhawn wedyn.

Felly *off* â ni, gyda Mam unwaith eto gan ei bod hi'n ddydd Sadwrn. Gadawsom westy'r briodas cyn 5 y bore, gan basio rhai o'r teulu ar eu ffordd i'r gwely.

A'r haul yn tywynnu, roedd yn gyfle perffaith i gael picnic yn y Jardin du Luxembourg yng nghysgod senedd Ffrainc. Ar ben y cwbl, fe gawsom ni glywed band clasurol yn chwarae wrth i ni yfed ein gwin. Gwaraidd a thraddodiadol iawn. Heb arfer â'r rwtîn yma, roedd yn rhaid i fi a'm ffrind godi cwpwl o ganiau ar y ffordd i'r gêm, er mwyn i bethau deimlo ychydig yn fwy normal.

Gogledd Iwerddon felly, yn y Parc des Princes. 'God Save the Queen', eto. Croes Sain Siorys, eto. *Derby*? Roedd hi'n teimlo felly i mi, gyda'r pwysau ychwanegol o le yn 8 olaf Ewrop yn y fantol. A'r label 'ffefrynnau' ar ein hysgwyddau ni. Teimlad rhyfedd.

Wedi dod mor bell, do'n ni wir ddim moyn colli i dîm fel Gogledd Iwerddon. Ro'n ni i gyd fel petaen ni wedi colli ein lleisiau. Yr unig beth dwi'n ei gofio o'r hyn gafodd ei ddweud oedd pawb yn cytuno mai 'un camgymeriad' fyddai'n ei hennill hi.

Roedd yn rhyddhad felly pan ddaeth yr unig gôl, a honno – ie – o ganlyniad i gamgymeriad. A Bale a'r criw yn bloeddio yn yr awyr, roedd hi'n amlwg eu bod nhw'n teimlo'r un peth â ni. A chyda'u plant nhw ar y cae, roedd y chwaraewyr yn dathlu fel fi, Mam a Dad yn y *stands*.

Dwi wedi treulio oriau yn ceisio esbonio sut deimlad yw bod yn gefnogwr Cymru, a pham dwi'n gwneud *hyn*. Dyw'r ateb byth yn gwneud synnwyr. Mae'n amhosib disgrifio'r peth. Ond wrth weld ymateb y chwaraewyr a bwrlwm eu dathlu – jyst fel ni – roedd hi'n ymddangos fel petaen nhw, o'r diwedd, *yn deall* beth mae hyn oll yn ei olygu i mi a channoedd fel fi.

Wrth i ni gymryd stoc o'r hyn oedd newydd ddigwydd prin oedd y siarad rhyngom. Cymru yn yr 8 olaf? Anghredadwy. Roedd y byd wedi mynd yn wallgo. Heb ystyried golygfeydd Paris – ro'n ni wedi gweld y Tŵr ar y ffordd i'r grownd – ro'n ni 'nôl ar y cwrw i ddathlu ac i wylio'r uchafbwyntiau, drosodd a throsodd.

Gyda'r gêm nesaf yn Lille, ychydig dros awr o Calais, roedd hi'n siwrne syml o Gaerdydd yn y car. Ond cyn hynny, a ninnau 'nôl yng Nghymru, roedd y mater bach o Loegr yn erbyn Gwlad yr Iâ. Roedd y papurau Seisnig, fel arfer, yn annioddefol ond roedd pawb go iawn yn ysu i 'ail dîm pawb' faeddu'r Saeson hyf.

"A, ma nhw wastad yn neud e," meddai Dad. "Pam bo nhw wastad yn cael y lwc, gwêd?" holodd Mam. Doeddwn i ddim yn disgwyl lot, i fod yn deg, er bod un o'm ffrindiau ysgol yn dangos ei briod liwiau yn y dafarn trwy wisgo bag plastig o archfarchnad Iceland. Ond am sbort oedd y 90 munud yna, wrth weld y Saeson yn arteithio'u hunain.

Ar y chwib olaf, dyma fi a Dad yn cofleidio'n gilydd. Ro'n ni wedi mynd yn bellach na'r hen elyn, doedd dim modd iddyn nhw ein bychanu ni rhagor... (cawn weld). "Twrnamaint. Gorau. Erioed!" bloeddais.

Ymlaen at y *Quarters* â ni, felly. Stop cyflym yn enw Gôl! i roi cymorth i'r ffoaduriaid yn Calais (profiad i sobri dyn os fuodd un erioed), cyn ymuno â gweddill y Cymry o gwmpas sgwariau hardd hen ddinas Lille.

Ond wrth i ni gasglu'r tocynnau o ochr draw'r dre, ro'n ni wir yn teimlo fel lleiafrif. Dyw Lille ond rhyw 20km o'r ffin â Gwlad Belg, felly roedd y gêm yn anorfod am ddenu nifer fawr o Felgiaid, a'r diwrnod hwnnw roedd hi'n teimlo fel petai neb ar ôl dros y ffin. O gofio hynny, a safle Gwlad Belg yn nhabl rhengoedd FIFA, do'n i ddim yn obeithiol iawn. Ro'n i wir yn teimlo bod ein stori dylwyth teg ni ar fin dod i ben.

Pryd o fwyd enfawr â'n criw ffyddlon: Gron a Myf Manceinion, Dad, John a Geraint Tregaron a fi, oedd wedi bod 'da'n gilydd am fis. Y swper olaf? Fe aethom amdani ac archebu siort yr un wedi'r pryd. Y tro diwethaf i ni wneud hynny fel giang? Jyst cyn colli 4–0 ym Milan yn 2003. O diar.

Yn y grownd, wedi'n hamgylchynu gan yr un hen wynebau, roedd rhyw deimlad trist. Roedd hyn i gyd am ddod i ben. Roedd y rhan fwyaf ohonom jyst yn trio cofio'r foment.

Mae'r noson eisoes wedi ennill ei lle fel un hanesyddol i Gymru, a nid 'mond yn y byd pêl-droed. Wir, fe ddigwyddodd rhywbeth syfrdanol yn Lille. Fe drodd y chwaraewyr yn gewri a Coleman yn rhyw dduw hollbwerus.

Rhys Iorwerth (chwith, rhes flaen) a'r Cofis rhywle ar y lôn rhwng Cymru a Bordeaux.

Ffans Cymru a Sweden yn gwersylla yn Toulouse.

Wedi cyrraedd Paris, Gogledd Iwerddon o'n blaenau. Rhys Iorwerth ar y dde.

Prynhawn y gêm yn Lyon.

Geraint Løvgreen o gornel y Wal Goch, Bordeaux.

Teulu'r Drenewydd yn mwynhau'r gwyliau haf gorau erioed.

Môr Coch bodlon yn llifo allan ar ddiwedd y gêm agoriadol.

Gyda'n gilydd, yn gryfach.

Løvgreens yn dathlu. Geraint yw'r ail ar y chwith

Wedi casglu eu tocynnau i'r semi.

Iola Wyn a'r teulu yn yr Abaty ar fore gêm gyntaf Cymru yn Ewro 2016.

Criw Iola Wyn yn 'Rhedeg i Paris!'

Iwan, gŵr Iola Wyn, Lleu, eu mab a'u harwr Ian Rush.

Blasu awyrgylch Bordeaux.

Nerfau… cyn i ni chwalu Rwsia yn Toulouse!

Iola Wyn ac Iwan cyn y gêm yn erbyn Gogledd Iwerddon ym Mharis.

Diolch X.

Diwedd y daith yn Lyon. Y Preisiaid ar eu ffordd adre.

Yn ei gerdd mae Phil Davies yn cyfeirio at y llif yn afon Garonne.

Cyrhaeddodd Phil stadiwm Toulouse braidd yn gynnar, fel mae'r llun hwn yn awgrymu.

Wyn Morris a Phil Davies yn Toulouse.

Megan, Phil, Llinos a Bethan yn Bordeaux.

Cafwyd cwmni Aaron yr Arth ar eu taith, a dyma fe yn ei holl ogoniant.

Criw Ffion Eluned Owen ymysg yr olaf i adael y stadiwm yn Bordeaux ar ôl y gêm agoriadol anhygoel yn erbyn Slofacia.

Dathlu hanner amser yn erbyn Lloegr yn y Stade Bollaert-Delelis yn Lens.

Amser golchi'r crysau lwcus!

Yng nghanol y dorf yn heulwen Toulouse yn barod am yr ornest yn erbyn Rwsia.

Ffion a'i chwaer Llio gyda'r gofeb i'r milwyr Cymreig yn Langemark, Gwlad Belg, ddiwrnod cyn y gêm fawr yn Lille.

Ffion Eluned Owen a'i chariad Iolo'n barod am y rownd gynderfynol yn erbyn Portiwgal ym Mharc Olympique Lyonnais.

Gêm y cefnogwyr. Rhys a Tim Hartley gyda'u ffrindiau newydd, tad a mab arall, o Rwsia.

Ar y ffordd i Lille. Rhys Hartley gydag elusen Gôl! yn cynorthwyo ffoaduriaid yn Calais.

Sacre Coeur? Sacre Bleu! Tim a Rhys Hartley a'u ffrindiau ym Mharis.

Y Saeson sydd nesaf! Tim a Rhys Hartley a'r criw ar y ffordd i Lens.

Gwyneb cyfarwydd. Rhys Hartley yn ninas Lyon.

Mae'r nerfau'n dechrau dangos. Tim a Rhys Hartley cyn y gêm fawr yn erbyn Portiwgal.

Roedd Lilly wrth ei bodd gydag anrhegion elusen y cefnogwyr Gôl! yn Ysbyty Lens.

Paraffin, plentyn amddifad o Lesotho, a ddaeth i wylio Cymru'n chwarae yn Lyon, gyda Joe Allen, diolch i elusen y cefnogwyr Gôl!

Dylan Ebenezer yn rhannu'r olygfa hyfryd o westy Cymru yn Dinard.

Dylan a Malcolm Allen yn mwynhau'r golygfeydd godigog!

'Hwyl fawr heulwen. Hwyl fawr Dinard – a diolch.'

Richard Jones o flaen y bont yn Bergerac, na nid Pont Aberteifi! Roedd yr Youngsters ac ef yn aros yn y ddinas hyfryd honno ar ôl gêm Slofacia a chyn teithio i lawr i Toulouse.

Llun: Gwenllian Young

Gyda ffans cyfeillgar Rwsia yn Toulouse. Richard Jones (ail o'r dde), Owain Young (pedwerydd) a Caleb Young (pumed). Ar ôl dweud 'Udachi!' (pob lwc) *off* â'r criw i grwydro'r ddinas.

Llun: Gwenllian Young

3–0 yn Toulouse, Gwyn ac Ioan ei fab.

Gwyn Jenkins yn y glaw yn Lille cyn y gêm yn erbyn Gwlad Belg. Awgrymodd wrth un o gefnogwyr y Belgiaid i'r Cymry ddod â'u tywydd gyda nhw ond ymatebodd yntau: 'Na, tywydd Gwlad Belg yw hwn'!

Garmon Ceiro yn anfon ei gyfarwyddiadau olaf i Chris Coleman cyn y gêm yn erbyn Gwlad Belg. Yn y llun hefyd mae ei frawd Deiniol a Siôn England (alias 'jonilloegr').

Laura ac Annie yn Lille.

Annie, merch Laura
McAllister yn barod am y
gêm gyntaf yn Bordeaux.

Laura McAllister tu fas i
Gare du Nord ym Mharis
ar y ffordd i Lens (gêm
Lloegr yn erbyn Cymru).

Annie a
Laura'n dathlu
ar ôl y gêm yn
erbyn Gwlad
Belg yn Lille.

Gyda ffans
Sbaen yn
Bordeaux.

Peter Esau, Hywel
Morris ac Aled Gwyn,
hen bartners yn
disgwyl yr awr.

John Morgan, Aled
Gwyn, Hywel Morris
a Peter Esau, bois
Castellnewy o flaen
Notre Dame wedi'r awr
weddi.

John Morgan, Aled
Gwyn, Peter Esau a
Hywel (Legend) Morris
yn magu nerth i fynd
i'r gad.

Hal Robson-Kanu sydd wedi ennill y clod mwyaf am ei sgìl hyfryd yn y bocs wrth dwyllo'r amddiffynwyr cyn sgorio heibio Courtois. Yn wir, fe safodd amser yn stond wrth i'r bêl lanio wrth ei draed, ac aeth popeth wedyn yn wyllt wrth i ni ddathlu fel ffyliaid. Do'n i wir ddim yn gwybod beth i'w wneud. Ro'n i ar y rhes uchaf a bron i mi ddisgyn i'r gwaelod ym merw'r cynnwrf. Doedd dim byd yn gwneud sens.

Pan wnaeth Vokes hi'n 3–1 gyda phum munud i fynd, fe ddechreuodd y parti go iawn. Deliriwm yw'r unig air amdano. (Yn eironig, dyna enw'r cwrw cryf yfodd y Cymry y flwyddyn gynt pan chwaraeom ni Gwlad Belg ym Mrwsel.)

Dyma fi, Dad a John yn cofleidio'n ddagreuol – Dad â'i grys *off* unwaith eto. (Pam bo fe'n gwneud hyn, gwedwch?) Ry'n ni wedi bod trwy gymaint o boen, profi cymaint o nosweithi' isel iawn yng nghwmni'n gilydd. Dim hyd yn oed yn ein breuddwydion mwyaf optimistig o'n ni'n disgwyl i Gymru gyrraedd semi-ffeinal. Roedd bywyd ar ryw lefel arall. Gwynfyd llwyr.

Yn ôl at ganol Lille ac fe drodd 'un peint' cyn mynd yn ôl i'r fflat i ddathlu yn bum peint a dawnsio ar y bordydd. Chwarae teg, roedd cefnogwyr Gwlad Belg yn gyfeillgar iawn, yn ein canmol a'n llongyfarch. Er eu siomedigaeth nhw, ro'n nhw'n hapus i wrando ar ein canu llon ni. Fe wyliais i a Gron yr haul yn codi wrth i ni gael smôc mas o'r ffenest. Fe wawriodd. Doedd hi ddim yn freuddwyd.

Fe stopiom ni mewn dwy dre hyfryd ar y ffordd i lawr i Lyon. Cyfle i ymlacio a rhoi hoe fach o'r cwrw i'r iau, er i ni gael glased fach o Champagne mewn rhyw ffair bentre y daethom ni ar ei thraws. Roedd rhaid, on'd oedd? Fe roddodd y tawelwch wedi'r storm gyfle i ni fyfyrio ynghylch y mis diwethaf. Doedd y profiad dal ddim yn teimlo'n real. Roedd e fel petaen ni'n byw mewn rhyw swigen, profiad allgorfforol. Roedd bywyd normal yn mynd yn ei flaen o'n cwmpas. Sut? Roedd ein byd ni wedi newid am byth. Dyma'r wên dwp yn dychwelyd i fy ngwyneb i.

I lawr i Lyon ac ro'n ni i gyd yn dechrau magu ychydig o hyder. Ro'n ni'n dechrau meddwl bo siawns 'da ni gyrraedd y ffeinal. Doedd Portiwgal ddim wedi ennill gêm o fewn y 90 munud a Ronaldo oedd eu hunig seren. Ond doedd dim Ramsey i ni. A. Problem.

Wedi clywed bod miliwn o Bortiwgeaid yn byw yn Ffrainc ro'n i'n disgwyl i ni fod mewn lleiafrif, ond unwaith yn rhagor roedd Cymry ym mhob bar, sgwâr a man agored ar draws y ddinas. Mewn bar bach nid nepell o'r canol, cawsom ein swyno gan yr hen emynau a'n hannog gan y brodorion i ganu'r anthem.

Fel yn Bordeaux, roedd y grownd yng nghanol 'nunlle ar gyrion y ddinas. Pwy ddiawl sy'n meddwl ei fod yn syniad da hel 60,000 o bobol o ganol y ddinas ar yr un pryd? Parhaodd y canu yr holl ffordd ar y tram. Wedi dod mor bell, ro'n ni'n ysu am y cam nesaf. Barus, wy'n gwybod.

Hanner amser, 0–0. 45 munud i ffwrdd? Un gôl oedd angen.

Ond doedd hi ddim i fod. Ronaldo'n torri'n calonnau. Trawiad dwbl i'r stumog mewn cwta pum munud. Siom enfawr, ond roedd pob un ohonom yn benderfynol o chwarae ein rhan a gadael Ffrainc wedi gwneud argraff dda.

Yn Lyon fe ganon ni 'Gwŷr Harlech' yn ddi-stop am y deng munud olaf ac am sbel hefyd wedi'r gêm, a hynny mewn teyrnged i'r chwaraewyr. Ro'n ni oll yn browd o'r tîm, moyn diolch iddyn nhw ond hefyd dangos beth mae cefnogi Cymru yn ei feddwl i ni. "Diolch," meddai crysau'r chwaraewyr. "Diolch, Cymru," meddwn i. "Diolch am wireddu breuddwyd, ond mynd cymaint ymhellach hefyd. Diolch am fis gorau 'mywyd i."

*

Wrth adael Lyon y bore wedyn 'ny, dyma Dad yn rhoi cwtsh mawr i fi a dechrau crio. Roedd y freuddwyd hir wedi dod i ben. Beth oedden ni fod i'w wneud gyda'n bywydau nawr? Roedd popeth yn arwain lan at weld Cymru mewn twrnamaint. A nawr? Allai hi fyth fod cystal, doedd bosib?

Ro'n i'n gorfod gyrru gartre ar fy mhen fy hun y bore wedi'r noson gynt. Digon o amser i ystyried pob dim. Mis gorau 'mywyd. Does dim cywilydd 'da fi ddweud 'mod i wedi gorfod stopio'r car i grio fwy nag unwaith. Tynnu ar ôl Dad, mae'n rhaid. Mae'r emosiynau dal yno a gwn y byddan nhw'n para am sbel hir.

Ymlaen at Rwsia felly i wneud y cwbl unwaith yn rhagor!

Trugarez Vras

DYLAN EBENEZER

SAWL CYN-CHWARAEWR RHYNGWLADOL sy'n gallu gwasgu mewn i *launderette* bach yn Llydaw? Wel, pedwar yw'r mwyaf 'nes i weld ar yr un pryd – ond bosib bod yna le i gwpwl o rai eraill.

Dim yn aml yr ydych yn gweld pêl-droedwyr yn trafod rhinweddau sebon golchi ond dyna oedd yn digwydd bron yn ddyddiol yn Dinard yn ystod Ewro 2016. Tre fach lan y môr yng ngogledd Llydaw yw Dinard. Yn eistedd yn gyfforddus iawn ar draws y bae i St Malo, ei chymydog mwy, o ran maint ac enwogrwydd. Dyma oedd cartre carfan Cymru yn ystod y gystadleuaeth – ac felly dyma gartre y gohebwyr, y sylwebwyr ac wrth gwrs – y cyn-chwaraewyr.

Llond llaw yn unig a fentrodd i'r olchfa yn ystod yr wythnos gyntaf. Ac fel y byddech yn disgwyl gyda chriw pêl-droed roedd y rhai cyntaf yn destun gwawd. Y *banter* yn boenus ar adegau, ond buan iawn newidiodd pethau. Wrth i Gymru fynd yn bellach yn y gystadleuaeth, ac wrth i'r trôns glân fynd yn fwy prin, roedd yr hen le bach yn mynd yn fwy llawn bob dydd – er mawr ddryswch i'r hen wragedd lleol oedd yn cwrdd i roi'r byd yn ei le rhwng y peiriannau golchi.

O edrych ar y map o Ffrainc doedd Dinard, yng ngogledd-orllewin y wlad, ddim yn lleoliad amlwg i Gareth Bale a'i gyfeillion baratoi ar gyfer haf mwyaf eu bywydau. Yn enwedig ar ôl i'r grwpiau gael eu trefnu. Gyda'r gemau yn Bordeaux, Toulouse a Lens byddai Cymru'n teithio mwy nag unrhyw wlad arall. Fyddai'r miloedd o gilometrau ddim yn effeithio llawer ar y chwaraewyr cofiwch, diolch i'r maes awyr bychan ar gyrion y dre. Er, roedd hi'n stori wahanol iawn i'r gohebwyr. Byddai pob un yn arbenigwr ar draffyrdd a rheilffyrdd Ffrainc erbyn diwedd yr haf. Byddai pob un hefyd wedi syrthio mewn cariad â Dinard.

'Cannes y Gogledd' yw un disgrifiad o'r dre a hynny o bosib sydd wedi denu ambell seren fyd-enwog. Bu Winston Churchill a Joan Collins yno ar wyliau, (dim gyda'i gilydd hyd y gwn i). Mentrodd Picasso yno i baentio ac Alfred Hitchcock i ysgrifennu. Mae yna sôn yn lleol bod y tai mawr crand ar y clogwyni sy'n edrych dros y traeth wedi ysbrydoli'r ffilm *Psycho*. Er ei bod hi'n hawdd gweld y tebygrwydd does dim tystiolaeth o hyn. Dim bod hynny yn mynd i sbwylio stori dda yn Dinard.

Fel pob tre fach lan y môr mae hi'n newid yn sylweddol yn yr haf wrth i'r ymwelwyr gyrraedd, ond ar ddechrau Mehefin roedd yn parhau i fod yn gyfforddus o gysglyd. Cyn i'r Cymry gyrraedd, wrth gwrs.

Bu cyffro yn lleol am fisoedd ers i Gymru gyhoeddi mai Llydaw fyddai cartre'r tîm. Ac roedd y paratoadau'n berffaith. Bu tirmyn y Gymdeithas yn teithio draw bob yn ail wythnos am dros chwe mis i sicrhau bod y meysydd ymarfer yn berffaith. Roedd hyd yn oed yr hadau yn dod o Gymru wrth i'r caeau y tu ôl i ysgol leol gael eu trawsnewid. Gallwn hawlio bod cornel fach o Lydaw yn rhan o Gymru am byth.

Ac roedd y dre wir yn teimlo fel darn bach o Gymru erbyn i'r gystadleuaeth ddechrau. Dychmygwch tre sy'n cynnal Eisteddfod – ond lot mwy chwaethus. Dyna oedd Dinard erbyn dechrau Mehefin. Baneri'r Ddraig Goch yma ac acw, negeseuon yn dymuno 'Pob Lwc' yn ffenestri'r siopau a'r rheini'n llawn cynnyrch lleol. Roedd hyd yn oed y Chocolatier wedi creu draig â phâr o sgidiau siocled i ddathlu dyfodiad Cymru. Mae yna ddywediad yn y gêm am chwaraewyr sy'n 'meddwl eu bod yn siocled', achos eu bod yn addoli eu hunain cymaint. Sgwn i ai dyma oedd yr ysbrydoliaeth?

Roedd gwesty'r tîm wedi ei leoli tu allan i'r dre.

Yn bell o'r bariau bach a'r bwytai braf. Ac yn bell o'r gohebwyr a'r cyn-chwaraewyr. Os oedd unrhyw chwaraewr yn disgwyl moethusrwydd crand yna roedd sioc yn ei aros. Roedd y gwesty yn amlwg yn braf iawn, ond yn bell o fod yn baradwys pum seren dros ben llestri. Yn hytrach roedd yn gyfforddus, yn gartrefol – yn hollol breifat. Ac yn hollol berffaith.

Roedd wedi ei adeiladu ar ochr clogwyn uwchben traeth bach twt, gyda bron pob ffenestr yn y gwesty yn wynebu un o'r golygfeydd mwyaf godidog dan haul. Gwledd i wneuthurwyr cerdiau post yr ardal. Yn ogystal â'r lleoliad, un o'r pethau mwyaf oedd yn denu ymwelwyr i'r gwesty oedd triniaeth Thalasso. Y gair Groeg am y môr yw thálassa, felly does dim angen bod yn arbenigwr i ddeall pa driniaeth oedd ar gael yma.

Mae'r cyfan yn debyg iawn i 'spa' ond bod yna bwyslais ar ddefnyddio dŵr y môr a'r mineralau ynddo – nid yn unig i ymlacio ond i wella a iacháu. Canlyniad y cyfan yw bod ymwelwyr yn heidio i'r rhan yma o Lydaw ers blynyddoedd i dderbyn y driniaeth. A doedd hynny ddim yn stopio achos bod yna gwpwl o bêl-droedwyr byd-enwog yn aros yn y gwesty. Dwi ddim yn arbenigwr ar Thalasso ond mae hi'n ymddangos bod hen bobol yn hoff iawn o'r driniaeth. Ac roedd hen ddigon o'r henoed hyn yn chwilio am iachâd. Roedd yna deimlad bod rhai yn chwilio am y gyfrinach i fywyd tragwyddol hyd yn oed. Roeddech yn teimlo fel petaech yn camu mewn i'r ffilm *Cocoon*. Yn y ffilm mae grŵp o hen bobol mewn cartre yn darganfod pwll nofio â'r pwêr arallfydol i iacháu. Swnio'n gyfarwydd?

Er i Gymru gael hanner y gwesty i'w hunain roedd yr hanner arall, yn amlwg, yn agored i'r cyhoedd. Ac roedd y cyhoedd yma i ymlacio. Tra bod y chwaraewyr yn crwydro yn eu tracwisgoedd roedd yr ymwelwyr eraill, ar y cyfan, yn gwisgo gynau gwyn *towelling*. Trwy'r dydd. Yn llythrennol. Roeddent yn bwyta brecwast yn y gynau. Yn bwyta cinio yn y gynau. A hyd yn oed yn mwynhau diod bach ar derfyn dydd wrth wylio'r haul yn machlud ar y gorwel hyfryd... yn eu gynau. Yr unig beth oedd yn torri ar draws y pleser pur oedd ambell driniaeth Thalasso.

Paradwys i'r pensiynwyr. Dim rhyfedd bod cynghorwyr y Gymdeithas Bêl-droed mor gartrefol yma.

Ond roedd hi'n amlwg bod y chwaraewyr yn gartrefol yma hefyd. Yn y gwesty ac yn y dre. Mi fyddai wedi bod yn hawdd iawn iddyn nhw aros yn y gwesty gan beidio â chrwydro'n bellach na'r maes hyfforddi. Ond dim dyna yw steil Cymru. Roedd y chwaraewyr yn aml i'w gweld yn crwydro'r dre neu'n cicio pêl ar y traeth gyda phlant lleol. Roedd croeso i bawb yn y gwesty, ac er bod rhannau ohono'n breifat roedd y garfan wastad o gwmpas. Wastad yn barod i stopio i dynnu llun neu sgwennu llofnod. Wastad yn gwenu. Wastad yn serchog.

A dim y chwaraewyr oedd yr unig rai oedd wedi ymlacio. Roedd staff y Gymdeithas yn gampus. Canolfan gymunedol gydag ysgol yn rhan ohoni oedd safle canolfan y wasg ar gyfer y gystadleuaeth – ond roedd y Gymdeithas wedi trawsnewid y lle. Dyma lle roedd y cynadleddau'n cael eu cynnal ac roedd yma le hefyd i newyddiadurwyr a gohebwyr weithio. Roedd yna groeso cynnes o fore gwyn tan nos. Roedd yma hefyd fwyd cynnes a Wi-Fi cyflym dros ben oedd yn siŵr o blesio unrhyw ohebydd a chriw ffilmio. Roedd y Wi-Fi optig ffibr wedi ei osod gan y Gymdeithas ac roedd yn cael ei adael yno hefyd er budd i'r gymuned.

Rhywbeth oedd wedi plesio Maer Dinard yn fawr iawn.

Mae gwaddol yn air mawr y dyddiau yma. *Legacy*. A bydd yna fwy nag atgofion yn unig o dîm Cymru yn Dinard. Mae'r caeau pêl-droed proffesiynol a'r cysylltiad band eang rhagorol yn atgofion parhaol o'u presenoldeb. Roedd pob gwlad yn Ewro 2016 wedi creu canolfannau i'r wasg ac roedd y gohebwyr o wledydd eraill yn llawn canmoliaeth am ganolfan

Cymru. Roedd tipyn gwell na'r mwyafrif. Ac roedd y croeso ar lefel hollol wahanol.

Ar ôl colli yn erbyn Gwlad yr Iâ dechreuodd nifer o ohebwyr Lloegr ddilyn Cymru. A doedd neb yn gallu credu'r awyrgylch anhygoel o gwmpas y lle. Doedd neb chwaith yn gallu credu bod Gareth Bale mor barod i siarad â'r wasg. Mae'n debyg bod rhaid llusgo enwau mawr Lloegr i gynadleddau tra bod seren Cymru'n gwirfoddoli i wneud hynny. Roedd y diolch i'r awyrgylch anhygoel roedd yr hyfforddwyr a'r staff wedi ei greu o gwmpas y garfan. Yn ogystal â'r awyrgylch hyfryd o gwmpas Dinard.

Y bwriad yn amlwg oedd dewis lle i'r chwaraewyr gael dianc o wallgofrwydd y gystadleuaeth. Rhywle tawel ble fyddai pawb yn teimlo'n gartrefol. Y gobaith oedd sicrhau bod popeth yn berffaith oddi ar y cae er mwyn ceisio sicrhau bod popeth yn gywir ar y cae hefyd. Ac roedd Dinard yn llwyddiant ysgubol. Mae rhywbeth hudolus am sŵn y môr. Y llanw a thrai yn eich swyno ac yn tawelu'r meddwl mwyaf. Dim bod hynny'n wir yn y gorffennol, cofiwch.

Mae'r cyn-reolwr, John Toshack, yn mynnu bod chwaraewyr wedi cwyno bod y tonnau'n rhy swnllyd mewn gwesty pum seren yn Cyprus.

Stori wir? Neu gor-ddweud er mwyn pwysleisio pa mor anodd yw hi i blesio ambell chwaraewr?

Beth yw'r ots? Mae hi'n stori wych. Doedd neb yn cwyno yn Dinard.

Mae pawb yn dueddol o edrych yn ôl gan holi am uchafbwyntiau. Ac mae hen ddigon o'r rheiny. Digon i bara bywyd.

Bydd Bordeaux, Lens, Toulouse, Paris, Lille a Lyon yn eiddo i Gymru am byth. Ond ychwanegwch Dinard i'r rhestr yna hefyd. Does dim amheuaeth yn Llydaw bod Cymru wedi dod o hyd i'r 'lle i enaid gael llonydd'. Merci, Ffrainc. Trugarez vras.

Wen i 'Na

RICHARD JONES

WY'N FFAN PÊL-DROED erioed ac o'n i hefyd yn ffan Chelsea ym mlynyddoedd cyntaf Ysgol Uwchradd Aberteifi, ond y tro cyntaf i fi weld gêm Cymru oedd ar y Fetch yn 1970 yn erbyn Gogledd Iwerddon. 1–0 i Gymru oedd hi, Ronnie Rees wy'n meddwl oedd y sgoriwr. A wy'n cofio merched yn sgrechian wrth weld George Best; a dyna lle ges i'r 'byg' mynd i weld gemau Cymru.

Pan o'n i'n yn 20 oed dechreuais drefnu bysus-mini i gemau Cymru yng Nghaerdydd, Abertawe a Wrecsam. Yn y dyddiau cynnar hynny bydde bois o'r dre a Llandoch, (Llandudoch i'r bobol posh), yn mynd ar y býs, ac un Gwyddel o'r enw Gerry Carroll. Cwrddais â Gerry y noswaith gyntaf ddaeth e i Aberteifi o Rosslare. Yn yr Hope & Anchor oedd e ac fe ddaeth e'n un o'r 'gang'. Mae e dal i fyw'n lleol. Roedd lot o gymeriadau eraill bryd 'ny. Dyna chi Mike 'Spike' Davies, Martin Rotie, Malcolm Gwyon, Mike Lewis, Peter Wilson, Werner Lewis, Dennis Jones a Phil Boer. A wedyn nes 'mlân, Wyn fy mrawd ac Andrew 'Tommo' Thomas. Roedd fy nhad Moelwyn yn dod o Bontycymer ger Pen-y-bont ar Ogwr ac yn ffafrio 'tsiaso'r wy'. "I don't know why you bother to watch 'soccer'," bydde fe'n dweud.

Roedd y trips i Wrecsam yn deithiau arbennig, er ein bod ni'n lico mynd i Gaerdydd ac Abertawe. Roedd hi'n daith hir i'r gogledd ddwyrain a digon o amser i siarad a dadlau am ffwtbol, ac ar y ffordd 'nôl bydde peint neu ddou yn y Trallwng neu'r Drenewydd. Yn Wrecsam unwaith dywedodd Albanwr wtha i, "Put that flag down, Jimmy, or I'll wrap it round your f****n throat!" "Of course I will," atebais y dyn 6' 4", a phlygu'r fflag yn deidi.

Gêm gofiadwy yn Wrecsam oedd Cymru yn ennill 3–0 yn erbyn Tsiecoslofacia ym 1977, ond roedd nifer o ganlyniadau siomedig bryd hynny, yn enwedig yn erbyn Lloegr a'r Alban. Cynhyrfus oedd cyrraedd chwarteri yr Ewros yn 1976 er colli i Iwgoslafia (ffor' ddy record, gollon ni ym mis Ebrill, a chael gêm gyfartal ym Mai). Canlyniad da oedd maeddu Lloegr yn Wembley yn 1977 yn yr hen Home Internationals – o'n i tu ôl y gôl pan sgoriodd Leighton James.

Yn y cyfnod hyn y siom fwyaf oedd y gêm yn erbyn yr Alban yn Anfield yn 1977. Roedd ffans Cymru i *fod* yn y Kop, ond roedd miloedd o ffans yr Alban tu fas i'r stadiwm. Anodd iawn os nad amhosib oedd gwylio'n iawn, a rhaid bod yn 'Braveheart' i osgoi'r boteli whisgi oedd yn hedfan trwy'r awyr. Yn anffodus roedd Mr Jordan yn handi iawn i'r Alban y noson honno. Stopais i gael byrger a 'na lle oedd Dafydd Wigley yn sefyll ar fy mhwys i, yn siglo'i ben – roedd yn dweud y cyfan.

Ymlaen i'r degawdau nesaf, ond yn yr wythdegau roedd fy ngrŵp Ail Symudiad yn cymryd mwy o amser fy mrawd Wyn a minnau, ac yna gychwynnon ni label Recordiau Fflach. O'n ni'n dal i ddilyn Cymru ond ddim yn mynd i gymaint o gemau. Roedd mater bach arall wrth gwrs: priodi a gwaith tŷ i'w wneud. 'A football fan's work is never done.'

Nes 'mlân, un o'r gemau sy'n sefyll mas oedd yn 1991 a maeddu'r Almaen 1–0 yn Cardiff Arms Park. Dwy flynedd ar ôl hyn a'r siom enfawr oedd colli i Romania. Chwarae teg i Paul Bodin roedd tipyn o bwysau arno y noson honno. Roedd tîm da gan Gymru yr adeg yna hefyd. Gêm arall dda blynyddoedd ar ôl hyn oedd ennill 2–1 yn erbyn yr Eidal. Roedd rheolwyr yn mynd a dod ond ergyd fawr oedd colli Gary Speed wrth gwrs a Chymru yn dechrau mynd ar i fyny, ond newyddion da mewn môr o dristwch oedd i Chris Coleman dderbyn y swydd fel rheolwr.

Trwy garedigrwydd Owain Young a'r 'Youngsters', ei wraig Jayne, eu mab Caleb, eu merch Gwenllian a'i gŵr hi, Daniel Owen, y 'Llanboidy Soul Crew', dechreuais fynd i gemau oddi cartre. Cwrddais ag Owain yn Eisteddfod Llandeilo, roedd stondin ei gwmni Shwl Di Mwl, 'Purveyors of the Finest Football T-Shirts', ger stondin Fflach ac y'n ni wedi bod yn ffrindiau agos ers hynny. Blynyddoedd wedyn, Owain wnaeth berswadio fi bod gemau oddi cartre yn llawer o sbort, felly dechreuais trwy fynd i Glasgow yn 2013. Mae'n brofiad gwych gweld Cymru yn chwarae dramor a'r *camaraderie* a'r agosatrwydd sydd rhwng y ffans.

Erbyn hyn roedd dou ffrind da wedi'u hychwanegu at y rhestr awê, Euryl Jones a'i fab Iwan o Flaenporth. Ro'n nhw fel fi a fy meibion Dafydd ac Osian yn mynd i bob gêm adre ac yn joio'r stop traddodiadol yn McDonald's, Caerfyrddin i drafod y gêm gydag Iwan Adams-Lewis a'i frodyr Hedd a Ceri o Aberteifi. Mynd i Glasgow a Chymru'n ennill 2–1 a sŵn ffans Cymru ar y teras yn fyddarol. Pob un yn llawn hwyl er aros fel dynion eira am drên 'nôl i ganol y ddinas.

Yr uchafbwynt wrth gwrs cyn mynd i Ffrainc oedd cyrraedd yr Ewros a'r gemau hynod gyffrous hynny: 0–0 ym Mrwsel, maeddu Cyprus ac Israel a Gwlad Belg 1–0. Sa'i wedi teimlo awyrgylch mor drydanol ac emosiynol mewn gêm gartre erioed.

Fe ddaethon ni'n aelodau 'Gold Club' y Gymdeithas

Bêl-droed, a daeth fy meibion Dafydd ac Osian yn aelodau hefyd, ac ers y nawdegau mae'r ddou yn mynd i gemau adre gyda fi.

Ond beth am y daith i Ffrainc? Gyrru lawr i Plymouth a fferi nos i Roscoff, *croissants* ffres yn bore a gyrru wedyn i Bordeaux. Gweld Dinard o bell, ble roedd tîm Cymru yn aros. "Wy'n gweld Joe Allen yn jogan ar y traeth," ddwedais i. "Peida siarad dwli!" atebodd Owain. "Beth wyt ti? Barcud coch"' Cyrraedd Bordeaux. Diawch, gwaeth na dreifo trwy Lundain.

Y noson honno, mynd mas am bryd o fwyd mewn caffi cyfagos, ac wrth fwyta ger y bar clywais haid o Yanks yn siarad am 'baseball'. "Ever heard of a football tournament that's happening in France at the moment?" ro'n i'n teimlo fel dweud, "and that's football not 'soccer'." Codwyd calon mewn wincad wrth weld Tim Hartley, Gronw Edwards a'r criw mewn bwyty gyferbyn â ni. A dyna'r ffans cyntaf i ni gwrdd ar ein taith – roedd mwy o'r cyfarfodydd yma i ddod.

Diwrnod y gêm roedd Alan Lewis, un o griw Aberteifi, wedi trefnu pryd o fwyd i bawb yn La Tupina, lle y mae Rick Stein yn ei ganmol. Hyfryd iawn! Awyrgylch fendigedig tu fas i'r Nouveau Stade de Bordeaux. Nerfusrwydd, wrth gwrs, oedd y teimlad cyn i Hal Robson-Kanu sgorio a dyna ni.

Buddugoliaeth yn y gêm gyntaf. Ar y tram teimlais drueni dros gefnogwyr Slofacia. Doedd dim yn eu cysuro, er i Caleb gynnig ei sgarff i un ohonyn nhw! Darganfod bar ble roedd cannoedd o gefnogwyr Cymru wedi ymgynnull a chlywed bod rhywun o ardal Caerfyrddin wedi rhoi £200 ar y tîm i ennill 2-1. *Happy days* i rywun.

Ymlaen â fi a'r Youngsters wedyn i aros mewn lle *self-catering* yn Bergerac, tua awr a hanner o Bordeaux. Ar y Sul mynd mewn i'r dre i gael paned a darganod caffi ddim ymhell o'r afon. O fewn hanner awr daeth y *waiter* ifanc mas â crêpe am ddim i ni, a dweud, "Well done, Cymru". Sylwch, nid Wales. Diolch Ian Gwyn Hughes. Aros am sbel i edmygu cerflun a thrwyn Cyrano de Bergerac. Diwrnod wedyn yn Bergerac yn crwydro'r wlad o gwmpas, golygfeydd hyfryd ac ymweld â Périgueux.

Hedfan i Frwsel ac ar y platfform gofynnodd Mr Iwng (fel oedd y Ffrancwyr yn ei alw) i gefnogwr Cymru ai hwn oedd y trên iawn i Lens? Austin oedd ei enw, bachan o Ddyffryn Conwy. "Wyt ti gyda Ail Symudiad, on'd wyt ti?" dywedodd e wrtha i. "O mae ambell un yn nabod Richard," dywedodd Owain yn sarcastig. Gwlad wahanol, ffrind newydd. Cymru awê. Eisteddodd Austin ar y trên gyda ni ac wrth gyrraedd Lens aethon ni gyd i gael brecwast. *Liquid breakfast* i rai cefnogwyr, ond *continental* i ni.

Roedd Dafydd, Osian a'i bartner Catrin PJ wedi dod i gwrdd â ni hefyd yn Lens. Siaradais â grŵp o fois o Peterborough. Mae llawer o ffans Lloegr yn gyfeillgar, ac mae'r wasg yn aml yn rhoi'r argraff anghywir ohonyn nhw. Roedd tensiwn mawr cyn ac yn ystod y gêm. Ar ôl cic rydd Bale, gorfoledd, ond rhy gynnar i ganu 'England's Going Home!' a chafwyd ail hanner anodd. Trueni na allen ni fod wedi dal mas am y funud ychwanegol ar y diwedd, ond, hei, *c'est la vie*. Dyma ddou fachgen ar y trên, un o Oldham a'r llall o Portsmouth yn dweud wrtha i, "We may have won, but your team has the passion." "I'm not going to argue with that," meddais.

Roedd yr awyren 'nôl i Bergerac yn llawn ffans Gwlad Belg. Roedd y *bier* yn mynd lawr yn syndod o rwydd ac roedd digon o hiwmor gyda nhw. Doedd terminal Bergerac ddim lot mwy nag un Aberporth. Sied fawr a dim ond dou berson tu ôl y gwydr. Yn amlwg, do'n i ddim yn deall beth o'n nhw'n canu heblaw, 'C'mon Belgium, C'mon Belgium,' felly gofynnais i'r person o 'mlân i beth oedd yn mynd 'mlân. "I'm sorry, I speak Flemish, but I think they're chanting that the airport staff are slow." Cyfieithiad cwrtais mae'n siŵr.

Pacio'r bagiau am Toulouse, a mynd mewn i'r ddinas diwrnod cyn y gêm. Y person cyntaf i ni weld wrth ddod mas o'r metro oedd Gwyn Hughes

o Gaernarfon a Nic Parry y sylwebydd. Mae fe a
Malcolm Allen yn rhagori ar bawb, on'd y'n nhw?
Yr act ddwbwl berffaith. Mynd i gyfeiriad yr afon
wedyn 'ny a chwrdd ag Aled Gwyn, un o fois Castell-
newy', a Betsan. Ardal brydferth ar bwys yr afon,
eistedd ar y grisiau, *ghetto blaster* yn blastan a whiff
o rywbeth di-dobaco ar y gwynt. Gwahanol iawn i
Bont Aberteifi. Cwrdd â ffans Rwsia. Cael llun, treial
ond ddim cweit yn llwyddo i gyd-ganu eu hanthem
rymus, emosiynol nhw.

Roedd Stadiwm Toulouse yn dipyn o gerdded o'r
stesion metro olaf a roedd hi'n boeth iawn. Roedd
yna deimlad o hyder o gwmpas cyn y gêm ymysg
ffrindiau Aberteifi, y 'Boncath Massive': Gerallt,
Tomos a Steffan, hefyd Gary Jones o Gaerdydd a
Duncan Jardine o Gasnewydd. Ac am gêm. Ramsey
yn rhoi'r dechrau perffaith i ni a dwy arall yn
dilyn.

Yn Israel daeth Owain a Caleb yn ffrindiau i
Peter Williams, tad Jonny Williams, a chyflwynon
nhw grys T Shwl Di Mwl o'i fab iddo fe. 'Nethon ni
gwrdd â Peter a'r teulu yn hwyr y noson yna, pobol
hyfryd. Roedd ei fam yn dysgu chwarae sax ac yn
sobor o falch bod ei mab yn chwarae i Gymru. Ro'n
nhw'n gwersylla mewn pabell yn ambell fan. Waw
– pobol a'u traed ar y ddaear.

Mynd 'nôl i Gymru i gael hoe fach cyn gêm

Gogledd Iwerddon. Pan gyrhaeddais i adre roedd fflag Cymdeithas Bêl-Droed Cymru fawr yn hedfan o ffenest y tŷ. Roedd baneri Cymru dros y lle o Sir Benfro lawr i Aberteifi. Hoe yn unig cofiwch, achos ro'n ni'n mynd 'nôl gyda 'Rhedeg i Paris' yn blasto trwy'r car yr holl ffordd i Dover, i Calais ac... i Baris.

Y diwrnod wedyn 'ny aethon ni i'r swyddfa docynnau ac yna eistedd ger y Seine, ble ges i ddou fagnet i gasgliad y ffrij, a chwrdd â Mark Bowen a Gareth James o Lundain, oedd bellach ond yn *associate members* y Llanboidy Soul Crew. Roedd yn wych cwrdd â ffrindiau o bob man yng Nghymru yn ystod ein teithiau, ac roedd y miloedd ar filoedd o Gymry ddaeth mas yn rhyfeddol. I'r Parc des Princes a Gogledd Iwerddon, teimlo bod llawer o *needle* yn ystod y gêm ond gorfoleddu pan groesodd Bale yn berffaith a McAuley yn sgorio'n wych. A dyna ni. Ymlaen!

Lille nawr ar y fferi eto, ac yn eistedd gyferbyn â ni oedd Justin Welby, ie, yr Archbishop of Canterbury. Oedd e'n gweddïo dros Gymru? Hmm. Wrth giwio i fynd ar y bad dyma ni'n siarad â ffans Pwylaidd. Dyna beth arall oedd yn wych am yr Ewros. Mae miloedd o gwmpas y cyfandir nawr yn ymwybodol o'n diwylliant a'r iaith Gymraeg. Daeth cefnogwyr Hwngari ac Awstria i siarad â ni ym maes awyr

Charolais a dweud nag o'n nhw'n gwybod bod iaith ein hunain 'da ni. O'r campau i gyd, dim ond pêl-droed allai wneud hynny. Braf oedd gweld 'LLONGYFARCHIADAU!' ar y sgorfwrdd hefyd ar ôl i Gymru ennill gêm.

Yn Lille roedd hyder yn byrlymu oddi wrth ffans Gwlad Belg. Na, doedd dim gobaith gan Gymru. Yn y prynhawn, eistedd gyda'r ffrindiau mewn caffi ar un o strydoedd y ddinas. Clywed 'Agi! Agi! Agi!' yn y pellter. O dier. Gweld rhyw fois yn cario balŵn morfil ac yn gweiddi 'Wales'. Ges i sgwrs gyflym gyda Dylan Jones, bachan *Ar y Marc* ar y radio ac yna mynd i'r *cashpoint*, ac roedd rhyw wág wedi rhoi sticyr melyn 'Coleman is Mustard' arno fe. Wy'n hoffi chantan, pethe fel 'Men of Harlech', 'Viva, Gareth Bale' a 'Give Me Hope, Joe Allen' ond ges i ddigon o 'Don't Take Me Home'. 'Se'n well gen i wrando ar y Barry Horns.

Tu fewn Stade Pierre-Mauroy, ges i brofiad rhyfedd. Daeth dyn i fyny ata i wedi gwisgo'n daclus: siaced siwt, yn ei 70au cynnar, ac wrth weld fy nghrys T 'Ashley Williams – He's Captain of Wales' dywedodd mewn Saesneg da, "He is a very good player. You will win today," a cherdded i ffwrdd yn dawel. Proffwyd neu beth? Y gêm yma, i fi, oedd yr uchafbwynt wrth ddilyn Cymru.

Y ffordd fwya resymol i Lyon oedd hedfan o

Gaerdydd i Barcelona a'r bore wedyn ymlaen o fanna. Ar ôl glanio, mynd am bryd o fwyd tua 11 y nos a gweld ar y teledu bod streic Vueling Airlines yn y bore. Grêt. Nawr roedd rhaid gweithio mas amserau'r trenau i Lyon a chodi am 5.30 i fynd i'r stesion. Cyrraedd o'r diwedd ar ôl pedair awr. Bloc o fflatiau yn Upper Lyon oedd ein llety a'r olygfa dros y ddinas yn haeddu 'waw'. I fi, hwn oedd y lle prydferthaf ar ein taith drwy Ffrainc; eglwysi ac adeiladau hynafol, strydoedd cul diddorol a... ffrij magnets.

Parc Olympique Lyonnais. Y gwrthwynebwyr, Portiwgal. Roedd e fel bod e mas yn y wlad, oedd e mor bell. Roedd yn wahanol i'r gemau a fu, a phawb yn meddwl 'ai hon fydde'r gêm ola'? Dechreuon ni bant yn weddol a phawb yn canu 'Calon Lân' fel erioed o'r blaen. Ond damo, galwodd y parti pwper Cristiano heibio a neidio fel samwn o'r Teifi i sgorio a difetha popeth. Dyna ni felly, tristwch – ond balchder hefyd.

Cyn diweddu hoffwn i ddweud DIOLCH i dîm Cymru, Chris Coleman, Osian Roberts, Ian Gwyn Hughes a holl staff y Gymdeithas Bêl-droed am wireddu fy mreuddwyd a rhoi gwir ystyr i 'Gorau Chwarae, Cyd-chwarae'. Ry'n ni wedi rhoi Cymru hyd yn oed yn fwy ar y map yng ngêm orau a mwyaf poblogaidd y byd. Mae'r chwyldro wedi dechrau.

Caerdydd,
8 Mehefin 2016

Mi ddaeth hi'n amser i'n baneri
baredio'u hunain, yn bryd inni
heidio i'r gad, i'n dreigiau godi
yn eu tymheredd, gan taw miri'r
Ewros sy'n ein haros ni. Am newid,
mae awr o ryddid i Gymru weiddi...

Rhys Iorwerth

Byw yn y Gorffennol

Gwyn Jenkins

I UN SY'N byw yn y gorffennol, braf iawn oedd treulio ychydig o amser yn y presennol am gyfnod ganol haf 2016. Wedi gwylio tîm pêl-droed Cymru am yn union hanner canrif, dyma brofiad gwahanol iawn i mi mewn sawl ystyr ac uchafbwynt bythgofiadwy. Dyma oedd yr achlysur pryd y trawsnewidiwyd y pesimist rhonc yn optimist digyfaddawd.

Roedd bod yn aelod o'r Wal Goch y tu ôl i'r gôl yn brofiad anhygoel. I raddau helaeth roedd sefyll a chanu gydol y gemau yn brofiad newydd i mi. Fel arfer bydda i'n gwylio gemau Cymru yn dawel bach o ochr y cae, gan ddisgwyl y gwaetha. Arbenigais mewn *squeaky bum* ymhell cyn dyddiau Alex Ferguson. Credwn erioed ein bod wedi'n tynghedu i foddi yn ymyl y lan ac nad oedd modd newid hyn. Ond fe ddysgais un peth mawr yn ystod haf 2016, sef nad yw'r hyn a ddigwyddodd yn y gorffennol yn dylanwadu fawr ddim ar yr hyn sy'n digwydd heddiw, yn y byd pêl-droed o leiaf. Fel y byddai'r hen frwydrwr o Gaernarfon, Wyn Davies, yn ei ddweud bob amser: un-ar-ddeg bob ochr ac un bêl. Mae pob gêm yn un newydd. Pwy a ŵyr beth sy'n gallu digwydd? A dyna efallai atyniad y gêm i mi yn y lle cyntaf.

Ond sut mae cymharu campau'r tîm presennol gyda thimau'r gorffennol?

Byddai'r hen, hen, hen do (y rhan fwyaf ohonynt mewn hen, hen, hen amdo erbyn hyn) yn cyfeirio at gampau tîm y 1930au. Wedi'r cyfan enillwyd y bencampwriaeth Brydeinig bedair gwaith yn ystod y cyfnod hwnnw a churwyd Lloegr ar sawl achlysur. Byddwn wedi hoffi bod ar Barc Ninian yn Hydref 1938 i weld Cymru'n sgorio pedair yn erbyn Lloegr. Ychydig fisoedd ynghynt roedd y Saeson yn brolio'u buddugoliaeth yn erbyn yr Almaen 6–3. Dyma oedd y gêm pryd y cododd y Saeson eu breichiau mewn salíwt i Hitler. Onid Lloegr oedd tîm gorau'r byd?

Mae pwt o ffilm o'r gêm yng Nghaerdydd wedi goroesi. Mae'n dangos torf anferth o 55,000 o gefnogwyr, gyda rhai ohonynt yn eistedd ar ben to'r Grangetown Stand. Doedd dim rheolau iechyd a diogelwch yn y cyfnod hwnnw. Mae'r sylwebaeth yn gwbl anghywir ar y ffilm. Mae'n dangos un o ddwy gôl Dai Astley i Gymru gan ddweud mai gôl i Loegr ydoedd. Roedd gan Gymru chwaraewr canol cae penigamp yn y cyfnod hwnnw, sef Bryn Jones o Arsenal. Gwerthfawrogid ef yn fwy gan ei wlad na'i glwb, sefyllfa nid annhebyg i un Aaron Ramsey heddiw.

Mae'r hen, hen do yn cofio tîm Cwpan y Byd 1958 yn Sweden. Mae gen i frith go bachgen bach o wylio'r ffeinal ond ni ddangoswyd gêm Cymru v Brasil yn y chwarteri yn fyw gan, mae'n debyg, i griw darlledu'r BBC ei throi hi am adre wedi i Loegr ymadael â'r gystadleuaeth. Does dim byd yn newid. Beth bynnag, roedd 'na debygrwydd rhwng tîm 1958 ac un 2016, gyda chwaraewr canol cae penfelyn talentog yn y ddau dîm (Allchurch a Ramsey) yn ogystal â phrif seren y ddau dîm yn chwarae i un o glybiau mawr y cyfandir. Pan gyrhaeddodd John Charles y gwesty yn Sweden, wedi iddo gael ei ryddhau ar y funud olaf i chwarae gan ei glwb Juventus, canwyd 'For He's a Jolly Good Fellow'; bach yn wahanol i 'Viva, Gareth Bale' yn 2016.

Tebygrwydd amlwg rhwng tîm 1958 ac un 2016 oedd y pwyslais ar amddiffyn cadarn. Roedd cawr yng nghanol amddiffyn y ddau dîm a'r ddau yn chwarae i Abertawe. Wedi cystadleuaeth 1958, symudodd Mel Charles i Arsenal gydag Ashley Williams yn dilyn yr un patrwm yn 2016 drwy ymuno ag Everton.

Perthyn i'r hen do ydw i. Y tîm sy'n ymdebygu fwyaf i dîm 2014–16 i mi ei weld erioed oedd tîm 1974–76 a reolid gan Mike Smith. Daeth yntau â phroffesiynoldeb i'r trefniadau a'r hyfforddiant ac adeiladwyd ysbryd digyfaddawd dan gapteniaeth Terry Yorath. Dyma'r tîm a lwyddodd i gyrraedd wyth olaf pencampwriaeth Ewrop 1976 drwy ennill ei grŵp.

Yn ôl yr arfer, roedd hi'n bwrw hen wragedd a ffyn ar y Fetch, Abertawe, yn ystod y gêm yn erbyn Luxembourg yn Nhachwedd 1974. Sgoriodd yr hen amddiffynnwr glew Mike England y bumed gôl gan ddathlu fel plentyn bach. Dyma fyddai ei gêm olaf dros ei wlad wrth i do newydd o chwaraewyr ennill eu plwy. Un ohonynt oedd chwaraewr ifanc deunaw oed o Borth Talbot, Brian Flynn. Edrychai fel plentyn yn ymuno â gêm dynion pan ddaeth arno fel eilydd yn erbyn Luxembourg a chofiaf i rywun weiddi, "Give the boy a kick!"

Un gêm grŵp a gollwyd yn 1974–75 ac roedd y fuddugoliaeth yn Budapest yn erbyn Hwngari yn berfformiad penigamp, gyda Toshack a Mahoney yn rhwydo. Dros y blynyddoedd bu Toshack yn gyson ei farn na fyddai Cymru'n llwyddo nes i'r tîm ddechrau casglu pwyntiau mewn gemau oddi cartre. Digwyddodd hyn yn 1974–76 ac yn 2014–2016.

Ymdebygai'r gêm olaf yn y grŵp yn erbyn Awstria yn Nhachwedd 1975 i'r gêm yn erbyn Gwlad Belg yn Lille yn 2016. Roedd yr awyrgylch ar y Cae Ras, Wrecsam, yn drydanol a'r glaw yn disgyn gan greu maes a fyddai'n caniatáu i'r bêl symud yn gyflym. Fel yn Lille, roedd dycnwch Cymru y noson honno yn rhyfeddol. Dyma'r tro olaf i mi glywed 'Calon Lân' yn cael ei chanu'n angerddol gan y dorf – tan 2016. Yn anffodus ni welais unig gôl y gêm gan y cododd llabwst tal o 'mlaen i pan ergydiodd Arfon Griffiths y bêl i'r rhwyd. Leighton James oedd seren y noson honno a bydd yntau'n atgoffa pawb mai dyma'r unig dro i Gymru ennill grŵp rhagbrofol.

Mae'n drueni nad oedd cyrraedd yr wyth olaf yn y dyddiau hynny'n golygu cystadlu mewn twrnamaint fel un 2016. Dim ond pedair gwlad fu'n cystadlu gyda'i gilydd, gyda'r wyth olaf yn chwarae rownd arall dros ddau gymal. Yr hen Iwgoslafia oedd gwrthwynebwyr Cymru yng ngwanwyn 1976. Dyma un o wledydd cryfaf y bêl gron yn Ewrop yn y dyddiau hynny ond ymerodraeth ydoedd mewn gwirionedd, amalgam o genhedloedd gwahanol eu hiaith a'u traddodiadau, dan reolaeth haearnaidd y Serbiaid. Ers hynny enillodd gwledydd fel Croatia, Slofenia a Bosnia eu hannibyniaeth, gan adael Serbia i gynnal fflam yr hen Iwgoslafia. Yn 1976 gallai rheolwr Iwgoslafia alw ar chwaraewyr o bob rhan o'r ymerodraeth ac, yn y gêm yn erbyn Cymru yng Nghaerdydd, dim ond dau a aned yn Serbia; deuai pedwar o Groatia, tri o Fosnia, a dau o Slofenia. Tîm rhyngwladol amlwladol oedd yn wynebu Cymru fach felly.

Collodd Cymru'r gêm gyntaf 0–2 yn Zagreb ddiwedd Ebrill 1976 a rhaid oedd aros mis arall am yr ail gymal ym Mharc Ninian. Dyma oedd un o'r gemau mwyaf cofiadwy i Gymru erioed, serch am y rhesymau anghywir. Gwyliais y gêm o'r hen Canton Stand gyda'm cyfaill Alwyn, ar brynhawn heulog ond gwyntog o Fai. Doedd ein gobeithion ni ddim yn uchel beth bynnag ond daeth yn amlwg yn fuan nad oedd y dyfarnwr trahaus, sef Mr Glöckner o Ddwyrain yr Almaen, o'n plaid.

Yn erbyn y rheolau, caniataodd y dyfarnwr i'r Iwgoslafiaid gymryd cic rydd gyflym pan oedd y bêl yn symud a chiciwyd y bêl yn hir y tu ôl i amddiffyn Cymru. Cofiaf yn dda cefnwr Cymru, Malcolm Page, yn rhedeg am y bêl gyda'r asgellwr Popivoda. Roeddent yn rhedeg i gyfeiriad y safle lle roeddwn i'n eistedd. Yn sydyn syrthiodd yr Iwgoslaf, er nad oedd Page wedi'i faglu, a'r eiliad nesaf roedd y dyfarnwr, a oedd ymhell iawn y tu ôl i'r chwarae, wedi chwythu ei chwiban am gic o'r smotyn. Doedd yr awyrgylch ddim yn dda cyn y gic a sgoriwyd gan Katalinski ond wedi hynny trodd y dorf yn ymosodgar o groch. Clywyd bloeddio 'Sieg Heil' wrth i'r Almaenwr droi'n gocyn hitio i'r cefnogwyr. Er bod ffensys uchel o gwmpas y cae llwyddodd rhai i'w dringo ac roedd yr heddlu'n brysur trwy'r gêm. Roedd y dyfarnwr yn brysur hefyd gan fod taclo brwnt yn britho'r chwarae.

Llwyddodd Cymru i unioni'r sgôr cyn yr egwyl ond roedd angen dwy gôl arall yn yr ail hanner i sicrhau ail chwarae. (Doedd goliau oddi cartre ddim yn ffactor yn y gêm hon). Wedi cyfnodau o bwyso enillodd Cymru gic o'r smotyn. Dwi ddim yn un am weiddi yn ystod gêm ond pan welais Terry Yorath yn gosod y bêl ar y smotyn gwyn, bloeddiais, "Oh no, not Yorath". Edrychodd sawl un o'r dorf arnaf yn syn ond gwyddwn na fyddai Yorath yn llwyddo. A dyna a fu. Roeddwn yn ffan mawr o Yorath fel capten ysbrydoledig ond doedd e ddim y fath o chwaraewr i rwydo o ddwy lathen heb sôn am ddeuddeg.

Yn ôl Yorath roedd y chwaraewyr mwyaf cymwys i gymryd y gic, fel Leighton James a Toshack, yn cuddio tra oedd yr un mwyaf dibynadwy, Arfon Griffiths, wedi'i eilyddio. Chwarae teg felly i Yorath am gymryd y cyfrifoldeb. Ac nid ef yw'r unig Gymro i fethu cic o'r smotyn. Mae 'na restr hirfaith ohonynt gan gynnwys Toshack, Flynn, Saunders, Rush, Ramsey, Allen, a hyd yn oed Bale, heb sôn am Bodin druan.

Mae'n anodd cymharu tîm 1974–76 gydag un 2014–16. Er bod chwaraewyr canol cae fel John Mahoney a Joe Allen yn debyg i'w gilydd, prin iawn yw'r tebygrwydd amlwg ymhlith y gweddill. Doedd neb yn nhîm 2016 yn debyg i'r asgellwr chwith

95

sgilgar Leighton James a ddeuai o draddodiad gwahanol o asgellwyr nad oedd o angenrheidrwydd yn dibynnu ar gyflymdra pur i guro'i ddyn. Does yr un o'r blaenwyr presennol chwaith yn cymharu â John Toshack a oedd yn feistr yn yr awyr ac yn ddigon medrus gyda'i draed. Mewn gwirionedd cyflymdra'r chwarae yw'r gwahaniaeth pennaf rhwng y ddau dîm. Ond mae 'na un peth yn gyffredin rhyngddynt, sef ysbryd di-ildio a balchder wrth wisgo'r crys coch.

Gwelais yr un agwedd mewn ambell gêm rhwng 1976 a 2014, yn arbennig yn y buddugoliaethau yn erbyn Sbaen, yr Almaen a'r Eidal, ond roedd Toshack yn iawn. I lwyddo, rhaid dangos yr un ymroddiad ar gaeau pellennig a dieithr, fel y cafwyd yn Hwngari yn 1975 ac yng Ngwlad Belg, Israel a Chyprus yn 2014–15. Ac fe'i cafwyd drachefn ar feysydd Ffrainc yn Ewro 2016.

Fel yr esboniais ar gychwyn y llith hon, dwi'n byw yn y gorffennol ac fel arfer dwi ddim yn un am ddarogan y dyfodol. Eto i gyd, gallwn fod yn sicr y daw dyddiau blin i ran tîm Cymru maes o law. Yn absenoldeb Bale, Ramsey a'u tebyg, fe fydd rheolwr Cymru yn gorfod dewis ambell chwaraewr eilradd. Bydd 'na hefyd ddigwyddiadau anffodus yn llesteirio'n gobeithion, fel llawio Jordanaidd, cardiau melyn Ramsiaidd, a chiciau o'r smotyn

Bodinaidd. Ond fe ddaw eto haul ar fryn, er mae'n anodd dychmygu y bydd yr haul hwnnw'n tywynnu mor llachar â'r un a welais i drwy'r glaw yn Lille yn yr haf.

Lyon 1am,
7 Gorffennaf 2016

Rhwng Rhône a'r Saône dwi'n ista
a'r sêr uwch Notre Dame;
mae'n oriau mân y bora
ond eto – 'wn i'm pam –
yn Lyon rhwng afonydd clên
mae'r dagrau'n llifo, ac mae gwên.

Garonne a'r Seine oedd hefyd
yn pefrio; hithau'r daith
yn llawn o boenau ennyd,
o chwerthin filiwn gwaith;
Toulouse a Lens, Lille a Bordeaux,
a draw i Paris, mynd am dro.

Fy hen gyfeillion honco
a fi â 'nghampyr-fan;
gwneud ffrindiau newydd gwallgo
o Ewrop bedwar ban.
Ond rhaid mynd adra'n ôl i'r ha':
mae Cymru'n galw. *Au revoir.*

Rhys Iorwerth

Gorau chwarae, Cyd-chwarae

LAURA MCALLISTER

WRTH DEITHIO ADRE yn yr oriau mân, o'r gêm gynderfynol hanesyddol honno yn Lyon yn ystod yr wythnos gyntaf ym mis Gorffennaf, yn llygatgoch ac yn wan ac yn emosiynol, teimlai fel dechrau a diwedd. Diwedd siwrnai bêl-droed hudol ac unigryw bedair wythnos o hyd. Ond ar yr un pryd, dechrau ar ddeffroad fyddai'n ymestyn ymhell y tu hwnt i bêl-droed neu chwaraeon hyd yn oed.

Fe gymrodd beth amser i mi feddwl yn iawn ac i ddadansoddi fy ymateb i'r hyn ro'n ni wedi ei brofi yn ystod yr ychydig wythnosau hanesyddol hynny a'r gêm gampus honno yn heulwen Bordeaux. Dwi ddim wedi dadebru eto ers Pencampwriaeth UEFA Ewrop yr haf yma. Efallai mai'r rheswm am hynny yw 'mod i ddim eisiau 'cael fy ngwynt ataf' ar ôl y mis mwyaf lledrithiol, bendigedig, ardderchog dw i'n ei gofio. Fe fu bron i mi sgrifennu 'mis o chwaraeon', ond y pwynt yw bod yr hyn a ddigwyddodd yn fwy na'r cae pêl-droed, neu faes chwaraeon hyd yn oed, on'd oedd? Y rheswm pam ein bod ni i gyd yn teimlo i ni gael ein dyrchafu, i ni lawenhau, deimlo'n falch/ecstatig/brwdfrydig (dilewch yn ôl yr angen) oedd mai dyma'r hwb mwyaf i'n hyder cenedlaethol mae ein cenedl fach ni wedi ei brofi erioed.

Er ei fod yn brofiad torfol, mae ein hatgofion o Ffrainc 2016 hefyd yn bersonol iawn i ni i gyd. I mi, mae yna lu o atgofion a phrofiadau arbennig. Mewn gwirionedd, mae llawer ohonyn nhw'n perthyn i stori sy'n ymestyn ymhell y tu hwnt i Ffrainc. Rwy'n meddwl, i lawer ohonon ni, bod ein hatgofion o'r Ewros yn llawn olion y siwrnai hir a fu. Atgofion fel cicio pêl a finnau mor ifanc ag y gallaf gofio, gan wneud i fy nhad sefyll rhwng y ddau glawdd hydrangea yn yr ardd gartre tra 'mod i'n taranu goliau cosb tuag ato. Mynd i wylio Caerdydd yn chwarae am y tro cyntaf, a finnau prin mwy na chroten fach, gyda fy nhat-cu o Faesteg a'i fêt gorau, Bill Bowen. Bill gymrodd yr awenau a chludo'r ffan Caerdydd frwd hon i gemau gartre neu i ffwrdd pan fu farw fy nhat-cu pan o'n i'n naw oed. Felly, pan ddaeth hi i'r gêm gyntaf, yn erbyn Slofacia ym mhrydferthwch Bordeaux, teimlai fel yr uchafbwynt i oes o hirddisgwyl. Efallai mai dyna'r rheswm ei fod mor orfoleddus – yr holl brofiad o wersylla gyda fy nheulu a fy ffrindiau agos ar y Cote

D'Argent, cymdeithasu â ffans o lawer o wahanol genhedloedd gyda chwrw a'r gemau teledu. Yna diwrnod y gêm, fy merch yn dawnsio gyda grŵp o Sbaenwyr ar brif rodfa Bordeaux. Ffans o Gymru yn ffurfio gosgordd er anrhydedd i gwpwl newydd briodi syn ond diolchgar a oedd newydd ddod allan o eglwys gyfagos. Yna'r anthem, nid dim ond oherwydd yr holl bethau a oedd wedi eu buddsoddi yn y gêm, (ein hymddangosiad cyntaf mewn ffeinal ers 58 mlynedd, Gary Speed, angerdd y paratoi), ond oherwydd fy mod i'n gwybod sut deimlad yw sefyll mewn rhes cyn y gêm yn barod ar gyfer yr Anthem Genedlaethol. Cefais y fraint o gynrychioli fy ngwlad. Roedd canu'r anthem wastad yn brofiad emosiynol iawn i mi fel chwaraewr a gwn mor emosiynol fyddai'r profiad hwn i mi fel ffan. Yna cic rydd Bale a gôl wych Hal Robson-Kanu. Fe ddywedodd sawl un y bydden nhw wedi mynd adre'n hapus ar ôl y pethau hynny. O, na. Dim fi. Ar y diwrnod hwnnw yn Bordeaux fendigedig, ro'n i'n teimlo'n barod ein bod ar drothwy rhywbeth llawer mwy.

Oedd yna achlysuron arbennig eraill? Toulouse, wrth gwrs. Y tro hwn gyda grŵp gwahanol o ffrindiau oedd wedi treulio Cwpan y Byd '98 yn Ffrainc yng nghwmni ein gilydd. Dyna ddinas brydferth arall ar ddiwrnod heulog, poeth. Perfformiad anhygoel gan y tîm gyda thair gôl wedi eu saernïo'n berffaith, ennill ac yna ffeindio mas ein bod ar frig y grŵp. Yna, ym Mharis, ar ôl ennill yn erbyn Gogledd Iwerddon, dwy hen ddynes yn gofyn i ni ganu 'Hen Wlad fy Nhadau' ar y metro (a ninnau'n cytuno, wrth gwrs).

Yna ymlaen i Lille a'r gêm go-gyn-derfynol hanesyddol ryfeddol honno yn erbyn Gwlad Belg. Bu bron i mi golli'r gêm oherwydd ei bod hi'n draed moch yn yr Eurotunnel. (Roedd gen i 24 o docynnau, a hynny'n golygu bod 23 o ffrindiau ar bigau drain mewn bar yn Lille). Fe es i ag Annie, fy merch ddwy flwydd a hanner, gyda mi. Roedd hynny'n beth arbennig iawn, iawn. Ro'n i am iddi brofi'r achlysur, a rhyngddoch chi a fi, roedd arna i ofn mai hon fyddai ein gêm Ewro olaf. Ro'n i wedi rhagweld rhai anawsterau yn ei chwmni, ond fe gofleidiodd hi bob eiliad o'r achlysur anhygoel. Fe ddawnsion ni ar ben byrddau gyda chriw o Flaenau Ffestiniog a chanu'r piano gyda chrwt o Sir Gâr, codi'n fuan i wneud cyfweliad i *BBC Breakfast* yn sgwâr fawr hardd Lille, a ninnau'n dal yn y citiau Cymru ro'n ni wedi bod yn eu gwisgo ers bron i 36 awr!

Mewn gwirionedd, ro'n i wedi hanner disgwyl i'r don bwerus o emosiynau dewi wrth i bethau fynd 'nôl i 'normal'. Ond wnaeth hi ddim, ac mae hynny oherwydd bod yr hyn ddigwyddodd yn Bordeaux,

Toulouse, Paris a Lille mor arwyddocaol y dylid gweld adleisiau ehangach i'n gwlad fach ni. Ac eto, rwy'n ofni os na fyddwn ni'n meddwl o ddifri am hyn, a gwneud hynny'n fuan, rydyn ni mewn peryg o golli un o'r cyfleoedd mwyaf a gafodd Cymru erioed.

I unrhyw un sy'n meddwl 'mod i'n gorliwio yng ngwres y funud, dewch i ni roi beth gyflawnwyd yn Ffrainc yn ei gyd-destun. Fe lwyddodd cenedl o dair miliwn o bobol, (na fu'n bresennol yn rowndiau terfynol prif dwrnamaint ers 1958), i fod y wlad leiaf erioed i gyrraedd y rowndiau cyn-derfynol. Roedden ni ar frig ein grŵp, aethon ni ymhellach yn y gystadleuaeth na'r Eidal, Sbaen, Croatia a Lloegr, ac roedd gennym ddau chwaraewr yn nhîm y bencampwriaeth a gafodd ei ddewis gan UEFA. Fe gipiodd Hal Robson-Kanu gôl y gystadleuaeth, fe ddyrchafwyd Bale a Ramsey yn sêr byd-eang diamheuol, Chris Coleman yn un o reolwyr gorau'r bencampwriaeth, a chafodd ein ffans ffantastig, amrywiol, cyfeillgar eu dewis fel hoff gefnogwyr y Ffrancwyr mewn pôl piniwn ar-lein. Ac ry'n ni'n haeddu'r ganmoliaeth, on'd y'n ni? Mae yna lawer iawn o ffans sydd wedi cadw'r ffydd yn fwy amyneddgar na fi ar hyd y blynyddoedd, rwy'n cyfadde, y rheini sydd wedi teithio i bob gêm i ffwrdd. Ar adegau, teimlai na fyddai'n cyfle ni byth yn dod. Hyd yn oed ar ôl i ni ennill y gêm yn erbyn Cyprus i ffwrdd, fe awgrymodd fy mrawd, sinig os fuodd un erioed, ei fod yn dal i aros i ni 'ff*cio pethe lan'. Ond roedd llawer ohonon ni YN credu, ac fe ddalion ni ati i obeithio, gweddïo, gan annog ein hawr ni i ddod.

Fe es i i bob un o gemau Cymru yn Ffrainc 2016. Ro'n i'n teimlo i mi fod yn aros am y foment hon trwy gydol fy mywyd a, thra fy mod i'n wirioneddol gredu y gallen ni fynd ymhellach na'r 16 olaf, ces i 'nghysuro ar ddechrau'r broses gan y sentiment a fynegwyd mewn nodyn nodweddiadol hyfryd ar Facebook gan fy ffrind a'r awdur llwyddiannus, Phil Stead, a ddywedodd nad oedd e'n mynd i adael i bêl-droed sbwylio pethau i ni yn Ffrainc. Ond yffach, fe aeth y pêl-droed y tu hwnt i'n disgwyliadau ac fe enillodd chwaraewyr Cymru edmygedd ffans yn fyd-eang am eu chwarae celfydd a'u parodrwydd i ymosod pan oedd hynny'n bosib, a, phan oedd pethau'n anodd, i wthio ymlaen a gweithio gyda'i gilydd fel grŵp o ffrindiau gorau egnïol yn cicio pêl yn y parc.

Bydd gan bob un ohonon ni oedd yn Ffrainc, y rhai a wyliodd adre yn y Fan Zones, yn y dafarn ac ar y soffa, eu hatgofion arbennig am y twrnamaint. A bydd pob un yn bersonol ac yn arbennig tu hwnt. Ond yn bwysicach, roedd hwn yn brofiad cenedlaethol a rannwyd gyda'n gilydd, ble bynnag o'n ni, trwy amrywiaeth o gyfryngau newydd a hen. Roedd y Fan Zones yn dod at ei gilydd yn araf bach (dewch ymlaen, awdurdodau lleol – uchelgais, gweledigaeth, rhagwelediad, cynllunio – cofio nhw?) ond yn y diwedd, fe ddaethon nhw'n fannau ar gyfer dathlu cymunedol. Roedd rhai yn eu gwrthwynebu, yn dweud eu bod yn cadw tafarndai a chlybiau tlawd rhag gwneud y gorau o'r gystadleuaeth yn ariannol. Ond nid pawb sy'n meddwl am y dafarn fel cartre naturiol, ac mae yna ddimensiwn teuluol a rhywiogaethol i wylio hefyd, yn yr un ffordd ag y mae'r pethau hyn yn berthnasol i chwarae pêl-droed.

Mewn cynhadledd ym Mhrifysgol Abertawe, fe gafwyd dyfyniad bendigedig rhywbeth yn debyg i hwn gan Keith Wood, cyn-chwaraewr rhyngwladol dros Iwerddon a'r Llewod: 'Y rheswm pam bo' chwaraeon mor bwysig yw am nad yw'n bwysig iawn.' Ar y marc, Keith, rwyt ti wedi taro'r hoelen ar ei phen. Dydy Cymru na'r byd o'n cwmpas ni ddim wedi newid o ganlyniad i lwyddiant ein tîm pêl-droed yn yr Ewros. Fe deithion ni i gyd yn ôl o Ffrainc i ddyfodol y tu allan i'r UE, (a'r sylweddoliad bod yn rhaid i'n syniadau cysurus ni newid hefyd, oherwydd fe bleidleisiodd Cymru o blaid Brexit), i gwympo mas gwleidyddol ymhlith y partïon yn San Steffan wrth i arweinwyr ymddiswyddo yn fân ac yn fuan, tra bod un yn gwrthod yn deg â gwneud hynny.

Fe wnaeth rhai o fy sylwadau yn ystod darlith Patrick Hannan BBC Wales yn 2015 ysgogi ymateb y gellid ei ddisgrifio, yn nhermau'r cyfryngau cymdeithasol, fel 'tipyn o storm'. Yn ddiddorol, nid oherwydd yr hyn a ddywedais i am wleidyddiaeth Cymru, nac am ein tuedd tuag at arweinyddiaeth wangalon, neu'r angen i ddyrchafu mwy o fenywod i uwch swyddi. Na, oherwydd i mi ddweud hyn:

Mae'n bwysicach i enw da, proffil a delwedd ein cenedl i Gymru fynd trwyddo i'r Ewros pêl-droed... na phetaen ni'n ennill Cwpan Rygbi'r Byd... Wrth gwrs, byddai'n well gen i petaen ni'n gwneud y ddau beth... Dydyn nhw ddim yn groes i'w gilydd, a does dim angen cystadlu dinistriol rhwng ein campau cenedlaethol. Ond, o fesur yn wrthrychol, mae'n hollol amlwg y byddai atseiniau dyfnach a mwy arwyddocaol o ran ein henw da a'n proffil rhyngwladol i weld Cymru'n mynd ymlaen i Bencampwriaeth Pêl-droed Ewrop. Os yw hyder bregus ein cenedl yn simsanu yn ansicr ar gamp yr ydyn yn gallu serennu ynddi, ond sy'n ddigon dibwys yn nhermau byd-eang, yna, mae ein gobeithion o werthu ein hunain i'r byd, o ddod yn frand rhyngwladol, a hau'r buddiannau economaidd sydd ynghlwm â hynny, yn fach iawn. Fyddai neb yn breuddwydio gwadu ein hanes clodwiw ym myd

rygbi, neu ei ystyr hanesyddol a chymdeithasol,
ond allwn ni ddim â gadael i rygbi ein diffinio ni fel
cenedl.

Rwy'n dal i gytuno â phob gair, yn enwedig gan
ein bod ni wedi gwneud bach yn well na dim ond
mynd ymlaen i Ffrainc. Yr Ewros oedd yr hwb
unigol mwyaf i broffil byd-eang Cymru ers cyn cof.
Does dim dwywaith y bydd myfyrwyr marchnata
yn brysur yn mesur sgôp, cyrhaeddiad a lefelau
adnabyddiaeth rhyngwladol Cymru yn ogystal
â gwerth tramor brand Cymru nawr, a dwi ddim
yn amau y bydd darllen hyn yn brofiad pleserus.
Mae'r ffaith fod angen llai o esboniad ar Gymru fel
lle, fel cenedl, yn arwyddocaol ynddo'i hun, ond
credaf fod gwell dealltwriaeth ohonon ni fel pobol
bellach, diolch i'r Ewros. Tra ro'n i yn Ffrainc fe
wnes i gyfweliadau i gyfryngau o Tsieina, India, De
America ac Ewrop. Gyda llaw, yn eu plith, daeth
fy hoff gwestiwn gan newyddiadurwr o Corsica a
ofynnodd, "Oes unrhyw genedlaetholwyr ymhlith
chwaraewyr Cymru?"

Pan gafodd ei lansio, roedd peryg i linell
Cymdeithas Bêl-droed Cymru (CPDC) #*Together
Stronger* fod yn ddatganiad gobeithiol, slic ac
optimistaidd. Peidier ag anghofio pedair neu bum
mlynedd yn ôl mai torfeydd o 4,000 o ffans oedd
yn gwylio Cymru mewn rhai gemau cyfeillgar,

ychydig dros 8,000 yn y rowndiau rhagbrofol yn erbyn Montenegro yn 2011 a 6,000 yn erbyn Bosnia yn 2012. Dyna pam fod y newid mor hudolus. Rwy wedi cefnogi Cymru erioed, yn fenyw ac yn ferch, a dwi heb brofi'r undod pwrpas ymhlith y ffans, chwaraewyr, hyfforddwyr a'r staff ag yr oedden ni'n dyst iddo yn Ffrainc. Fe ddaeth 'Gorau Chwarae, Cyd-chwarae' yn fyw oherwydd iddo lwyddo i'r dim i ddal yr hwyl optimistaidd a darddodd o gemau rhagbrofol yr Ewro. Fe ddechreuon ni i gyd gredu. Dechreuodd Cymru, sy'n aml yn poeni gormod am yr hyn sy'n ei rhannu, feddwl ac i ymddwyn fel un genedl, yn gweithio tua'r un nod. Fe gofleidiodd CPDC a'r chwaraewyr yn ein hanes, ein hamrywiaeth, yn ein dwy iaith, treftadaeth ac etifeddiaeth chwaraewyr a thimoedd y gorffennol, ac wrth wneud hynny ffurfiwyd perthynas newydd ac unigryw gyda'r cefnogwyr a'r cyhoedd.

Nawr, mewn rhai ffyrdd, mae hynny'n beth da wrth gwrs. Ond mae'r cwestiwn go iawn yn un rwy'n mynd i'w ofyn yn hytrach na cheisio ei ateb. Beth sy'n digwydd nesaf?

Chwaraeon fu stori lwyddiant Cymru erioed. Rwy wrth fy modd â hynny ac yn falch iawn o'r ffaith. Ac, wrth i Gemau Olympaidd a Pharalympaidd anhygoel o lwyddiannus arall i athletwyr Cymru o fewn tîm Prydain Fawr ddod i ben, ni'n gwybod

bod y stori honno'n mynd y tu hwnt i bêl-droed yn unig. Edrychwch ar Gemau'r Gymanwlad a'r nifer fawr o fedalau a gipiwyd gennym, y 12% o bara-fedalau a enillon ni yn Llundain yn 2012, mae bron i 20% o sgwad elitaidd Seiclo Prydain Fawr yn dod o Gymru, mae dwy o bob tair o sgwad Triathlon benywaidd Olympaidd Prydain Fawr yn Gymry, gan gynnwys Helen Jenkins o Ben-y-bont a Non Stanford o Abertawe. Unwaith eto chwaraeodd athletwyr Cymru ran flaenllaw yn Rio 2016 a chipio record o ddeg medal, (pedair ohonynt yn rhai aur), gan gynnwys aur am yr eildro yn y Taekwondo i'r bencampwraig Jade Jones o'r Fflint sy ond yn 23 oed.

Ond yn ôl at Keith Wood. Dydy bod yn dda mewn chwaraeon ddim yn ddigon. Er mor bwysig ydyw, os bosib ein bod yn gysurus i gael ein diffinio fel cenedl sy'n gwneud yn well na'r disgwyl ar y meysydd chwarae? Fe fyddai rhai hyd yn oed yn dadlau bod ein llwyddiant ar y cae rygbi wedi ein dal ni 'nôl. Gallaf gydymdeimlo â'r farn honno i raddau. Gall gwneud yn dda mewn camp gyda nifer fach o chwaraewyr o safon byd-eang gyfyngu ar orwelion, nid yn unig mewn chwaraeon, ond ymhell y tu hwnt i hynny.

Gobeithio nad wyf yn gor-ddweud wrth ddatgan bod Cymru wedi cyrraedd croesffordd hanesyddol. Yn syml, fe fyddai'n drychinebus i beidio â chynllunio sut y gallai llwyddiant Cymru mewn pêl-droed fod yn gatalydd ar gyfer newid pellach, newid yn ein hunan-ddelwedd, yn ogystal â dirnadaeth pobol y tu allan ohonon ni fel cenedl. Mae hyn yn arbennig o bwysig pan y'n ni'n dod i frig rhyw dablau nad oes neb eisiau bod ar eu brig, a ble ry'n ni'n cipio gwobrau am dlodi, tor-iechyd a diweithdra, yn hytrach na rhai gwerth chweil.

Rhaid i'r alwad i'r gad fod yn berthnasol i bawb, i wleidyddion a'n harweinwyr cyhoeddus, wrth gwrs, ond hefyd i fyd busnes a'r trydydd sector. Rhaid i ni ddefnyddio ein llwyddiant ar y cae pêl-droed fel catalydd i newid ein delwedd ohonon ni'n hunain, yn ogystal â'r ffordd mae pobol eraill yn ein gweld ni fel cenedl. Os na allwn ni gredu ynom ein hunain, does dim gobaith gyda ni wella ein heconomi, ein haddysg, ein sector twristiaeth, ein sail sgiliau, ein dyfodol.

Wrth gwrs, dwi ddim yn gwybod beth yw'r atebion i gyd, a does gan neb fonopoli ar y pwnc hwn. Wedi'r cwbwl 'Gorau Chwarae, Cyd-chwarae' – ond mae yna rai pethau diriaethol a fyddai'n cynnig man cychwyn. Beth am symud o fod yn ymatebol a phetrus mewn meysydd allweddol yn ein gwasanaethau cyhoeddus, fel cwricwlwm ysgolion, iechyd cyhoeddus a gwerth economaidd digwyddiadau o bwys? Mae yna esiamplau lu ble mae gyda ni'r potensial i anelu mor uchel â Chris Coleman a'i dîm yn Ffrainc 2016. Beth am i ni gael cefnogaeth go iawn ein gweinidogion, pob corff sy'n rheoli chwaraeon, yn amatur ac yn broffesiynol, swyddogion ym meysydd iechyd ac addysg, a gweithio tuag at weledigaeth a Chwaraeon Cymru: i fagu diddordeb pob plentyn mewn 'chwaraeon gydol oes'? 'Gorau chwarae, Cyd-chwarae,' ac fe allen ni ddangos mor bwysig yw gweld llythrennedd corfforol syflaenol yn rhan allweddol o gwricwlwm ysgolion, i ddatblygu sgiliau pob plentyn, nid yn unig ym myd chwaraeon ond er mwyn iddyn nhw allu byw bywydau hapus ac iach.

Er mwy cyflawni hyn fe fydd angen undod pwrpas ac uchelgais, ynghyd â chred a hyder go iawn (tebyg i'r hyn a ddangosodd y tîm) gan bob un sy'n arwain ym mhob sector yn ein cenedl fach ni. Neu, i aralleirio geiriau Chris Coleman yn Ffrainc, fe fydd angen i ni barhau i drio, i weithio'n galed, i fod yn barod i fethu ond i gadw ein ffocws ar y wobr fawr ac i beidio â gwrando ar y rhai sy'n llai uchelgeisiol, yn llai angerddol neu sydd ddim yn barod i gael eu beirniadu neu i ymrwymo i sialens. Os gredwn ni 'Gorau Chwarae, Cyd-chwarae,' yna mae yna bosibilrwydd y gallen ni ail-fyw y mis godidog, cofiadwy, emosiynol o bêl-droed hwnnw

mewn rhannau eraill o fywyd Cymreig – ac oni
fyddai Cymru ar ei hennill o beth cythraul petai
hynny'n digwydd?

Yr Ewros Arwrol

Ni welwyd, ac ni welwn
Eto'r fath haf â'r haf hwn.
Y daith a lwyddodd i'n dal
Aeth yn fawr, aeth yn feiral.
Â thram a metro a thrên,
I eraill caed awyren.
'R un hir oedd y siwrne hon
A'i hwyl yn twymo'r galon.

Ar e-bost bu ymffrostio
Haeddiannol, a dethol, do.
Papurau, gwefannau gant
A'r miloedd yn rhoi moliant.
Y canu fu'n eiconig
Mor braf ry'm mwy ar y brig;
Wal goch yn hwylio y gân
A'i hafiaith yn cyhwfan.

Ein harwyr sydd yn aros
Heddiw i ni, ddydd a nos.
Gwŷr a aeth Ffrainc, gwyrthiau ffri,
A hanes, roesant inni.
Erys a saif yr Ewro

Yn un camp yn nwfn y co'.
Pays de Galles – Je suis Gallois
A hawdd yw dweud *merci*'n dda.

Aled Gwyn

Apêl Gôl! yn Ffrainc

BYDD HOLL ELW y llyfr hwn yn mynd at elusen cefnogwyr pêl-droed Cymru, Gôl!

Mae Gôl! yn cynnig cymorth i blant anghenus neu sydd dan anfantais bob tro y mae'r tîm cenedlaethol yn chwarae, boed gartre neu oddi cartre. Ffurfiwyd Gôl! yn Azerbaijan yn 2002 ac ers hynny mae wedi ymweld â chartrefi ac elusennau plant mewn rhagor na 40 o wledydd ar draws y byd.

Yn ystod Ewro 2016 yn Ffrainc fe drefnodd Gôl! i Tom Morris o'r Coed Duon a'i fam Clare ddod i Bordeaux i wylio Cymru'n chwarae. Fe wnaeth Tom, sy'n 13 oed ac sy'n dioddef ôl-effeithiau triniaeth cancr, fwynhau'r fuddugoliaeth yn erbyn Slofacia yn ogystal â a chwrdd ag Ian Rush.

Cafwyd ymweliadau â wardiau plant mewn ysbytai yn Bordeaux a hefyd yn Lens ar ôl i Gymru chwarae Lloegr. Rhoddwyd teganau a baneri Cymru i'r plant a chyfranwyd €500 er mwyn i'r ysbytai ddatblygu cynllun Therapi Chwarae.

Yn dilyn ein llwyddiant yn y rownd agoriadol fe drefnodd Gôl! dri ymweliad arall. Ar y ffordd i Baris ar gyfer y gêm yn erbyn Gogledd Iwerddon dosbarthwyd citiau chwaraeon a dillad i ffoaduriaid drwy'r elusen Care4Calais. Cafodd y rhain eu casglu gan glybiau pêl-droed yng Nghymru.

Aeth cefnogwyr Gôl! i ward plant yn ysbyty Lille a rhannu anrhegion a theganau cyn ein gêm yn erbyn Gwlad Belg. Ar gyfer y gêm gyn-derfynol yn erbyn Portiwgal fe gynorthwyodd yr elusen i grwt 13 oed arall ddod i Ffrainc. Mae Paraffin yn blentyn amddifad ac yn byw yn Lesotho, deheudir Affrica. Yn Lyon fe gafodd gyfle i ymuno â 500 o blant anghenus yn y streetfootballworld Festival 16 lle sgoriodd e bump gôl dros ei wlad.

Tim Hartley

Bywgraffiadau

Gêm gyntaf y darlledwr a'r newyddiadurwr Tim Hartley oedd honno yn erbyn Iwgoslafia yn 1976 ar Barc Ninian, ond bu'n rhaid iddo ddisgwyl 40 mlynedd cyn gweld Cymru yn rowndiau terfynol yr Ewros. Mae ef a'i fab Rhys wedi teithio'r byd yn gwylio pêl-droed ac mae wedi cyhoeddi cyfrol yn olrhain eu hanes, *Kicking Off in North Korea* (2016). Mae Tim wedi chwarae dros 70 o weithiau i dîm cefnogwyr Cymru.

Disgrifiwyd Rhys Iorwerth fel 'bardd mwyaf cyffrous ei genhedlaeth' wedi iddo ennill Cadair Eisteddfod Genedlaethol Wrecsam a'r Fro yn 2011. Ar ôl pymtheg mlynedd yng Nghaerdydd, mae wedi symud yn ôl i fyw i dre ei febyd yng Nghaernarfon, lle mae'n gweithio fel awdur, ymchwilydd a chyfieithydd llawrydd. Yn ystod yr Ewros, bu'n teithio rownd Ffrainc yn ei gampyr-fan ugain oed, a hynny am 31 noson – mis gorau'i fywyd.

Cof cyntaf Geraint Løvgreen o bêl-droed rhyngwladol yw sefyll gyda'i dad ar y Cae Ras i weld Ivor Allchurch, Roy Vernon a Wyn Davies a'r lleill yn curo Denmarc

4–2 yn rowndiau rhagbrofol Cwpan y Byd yn Rhagfyr 1965. Roedd yn un o dorf o 4,839 (nid yw'n cofio hyn ond mae'n gallu Gwglo). Mae'r cefnogwr Wrecsam yn ganwr, cyfansoddwr a limrigwr, ac yn ymfalchïo mai fe oedd y codwr canu a sefydlodd 'Calon Lân' yn *repertoire* cefnogwyr Cymru yn yr Ewros yn Ffrainc.

Er bod ei chefndir yn y byd newyddiadurol, dyw Iola Wyn byth yn ddiduedd wrth drafod pêl-droed. Yn enedigol o Bow Street, Ceredigion, mae hi'n byw gyda'i gŵr Iwan a'u meibion Lleu a Caeo a'u ci defaid Cymreig, Dyfi, yn Sanclêr, Sir Gâr. Mae'r Preisiaid hefyd yn aelod o deulu ehangach – Teulu Pêl-droed Cymru.

Mae Phil Davies yn cofio ei dad yn mynd ag ef i weld Ivor Allchurch yn sgorio'r gôl fuddugol i Gymru yn erbyn yr Undeb Sofietaidd yn 1965. Gwefr oedd gweld Cymru yn ailadrodd y gamp yn Toulouse, dros 50 mlynedd yn ddiweddarach, yn erbyn Rwsia. Mae'n byw yn Nhal-y-bont, Ceredigion. Treuliodd bythefnos yn Ffrainc gyda Megan ac Aaron yr Arth.

Does dim rhyfedd bod Ffion Eluned Owen yn gymaint o ffan pêl-droed, â'i thad yn dal y record am y gôl gyflymaf erioed yng Nghwpan Cymru. Yn wreiddiol o'r Groeslon yn Nyffryn Nantlle, mae hi'n byw yn Aberystwyth ac yn fyfyrwraig doethuriaeth yn Adran Gymraeg y Brifysgol. Mae hi'n teimlo'n hynod ffodus mai dim ond chwarter canrif y bu'n rhaid iddi aros i gael profi'r fath lwyddiant pêl-droed cenedlaethol.

Myfyriwr yng Ngholeg y Brifysgol Llundain yw Rhys Hartley sydd â diddordeb arbennig yn Nwyrain Ewrop. Dechreuodd wylio Cymru yn bump oed yn Bologna yn 1999. Colli fu'r hanes wrth reswm. Wedi dadrithio gyda Chlwb Pêl-droed Dinas Caerdydd mae e bellach yn cefnogi Partizan Belgrade a Clapton FC yn yr Essex Senior League.

Mae Dylan Ebenezer yn gyflwynydd pêl-droed ac wedi bod yn ffodus i deithio'r byd yn rhinwedd ei swydd. Roedd Ewro 2016 yn uchafbwynt proffesiynol a phersonol iddo. Dechreuodd yr obsesiwn gyda phêl-droed yn y '70au wrth wylio Arsenal gyda'i dad, cyn dechrau dilyn Cymru ar ddechrau'r '80au. Ar y Cae Ras yn 1985, pan sgoriodd Mark Hughes y foli wefreiddiol yn erbyn Sbaen, roedd Dylan yn grediniol mai dyna'r gôl orau erioed. Ond erbyn hyn, diolch i Hal Robson-Kanu, dyw e ddim yn siŵr.

Mae Richard Jones yn enedigol o Aberteifi ond nawr yn byw ym Mlaenffos, Sir Benfro, gyda'i wraig Ann. Dechreuodd ddilyn Cymru yn yr 1970au pan oedd yn trefnu bysiau-mini i gemau adre. Mae Richard yn aelod o'r grŵp pop Cymraeg Ail Symudiad ac yn un o gyfarwyddwyr Recordiau Fflach gyda'i frawd Wyn. Mae ganddo ddau fab, Dafydd ac Osian, sy hefyd yn dilyn Cymru adre ac i ffwrdd.

Brodor o Benparcau ger Aberystwyth sydd bellach yn byw yn Nhal-y-bont yw Gwyn Jenkins. Mae wedi cyhoeddi llyfrau am hanes Cymru a chwaraeon, gan gynnwys *Gôl!* (1980), y llyfr cyntaf i'r Lolfa ei gyhoeddi ar bêl-droed. Ei gyfrol ddiweddaraf yw *Cymry'r Rhyfel Byd Cyntaf* a gyhoeddwyd yn 2014.

Yn wreiddiol o Ben-y-bont ar Ogwr, Athro yng Nghanolfan Llywodraethiant Cymru Prifysgol Caerdydd yw Laura McAllister lle mae'n ymchwilio i ddatganoli a gwleidyddiaeth Gymreig. Chwaraeodd 24 o weithiau i Gymru a bu'n gapten tîm pêl-droed y merched. Mae hi wedi cefnogi CPD Caerdydd a Chymru ers yn groten pan aeth ei thad-cu o Faesteg â hi i'w gemau cyntaf. Aeth Laura i bob gêm Cymru yn Ewro 2016, gan gynnwys y gêm yn Lille gyda'i merch dwy flwydd oed, Annie.

Mae Aled Gwyn wedi dilyn Cymru ers y pumdegau cynnar ac wedi disgwyl ers 1958 i Gymru gyrraedd yr uchelfannau. Bu'n rhan o'r ymgyrch yn yr ysgol uwchradd i rwystro prifathro rhag troi'r ysgol at rygbi dros nos. Chwaraeodd gyda thri a ddaeth yn eu tro yn Archdderwyddon Cymru, a hefyd gyda Hywel Morris, y 'Living Legend' gan fod ganddo'r record am sgorio'r nifer fwyaf o goliau mewn tymor (98) yng nghynghreiriau pêl-droed Cymru.

Ibuprofen s'il vous plaît!

Dewi Prysor

Teithiau Prysor yn yr Ewros

y Lolfa

£9.99

"Hartley writes with wisdom and passion as he shares his world in these thoroughly entertaining travel diaries."

Huw Edwards

KICKING OFF IN NORTH KOREA

Football and Friendship in Foreign Lands

TIM
HARTLEY

y Lolfa

£9.99

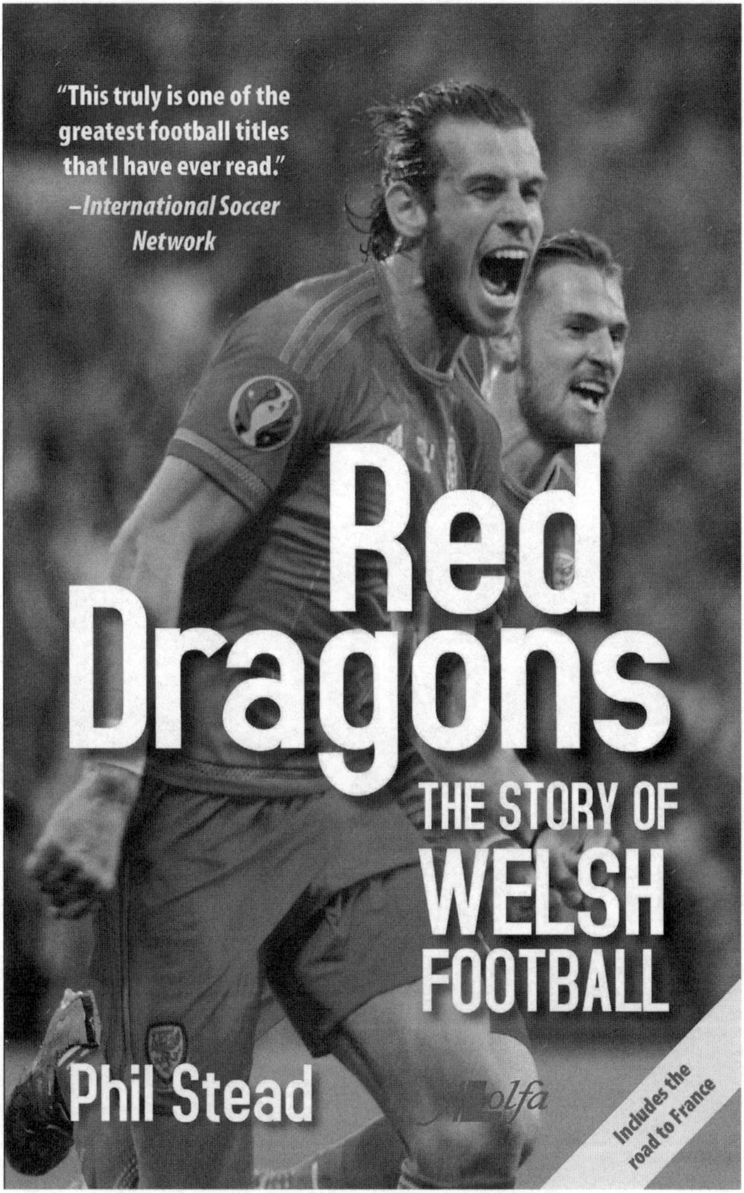
"This truly is one of the greatest football titles that I have ever read."
–International Soccer Network
Red Dragons
THE STORY OF WELSH FOOTBALL
Phil Stead
Includes the road to France

£14.95

'A must-read for any football fan – I loved reading it!' JOE LEDLEY

When Dragons Dare to Dream

WALES' EXTRAORDINARY CAMPAIGN AT THE EURO 2016 FINALS

JAMIE THOMAS

y Lolfa

£9.99

y Crysau Cochion

1946–2016

Gwynfor Jones

y Lolfa

£14.99

Am restr gyflawn o lyfrau'r Lolfa, mynnwch
gopi am ddim o'n catalog
neu hwyliwch i mewn i'n gwefan

www.ylolfa.com

lle gallwch archebu llyfrau ar-lein.

TALYBONT CEREDIGION CYMRU SY24 5HE
ebost ylolfa@ylolfa.com
gwefan www.ylolfa.com
ffôn 01970 832 304
ffacs 832 782